Céline
Dion
Un hymne à la vie

Céline
Dion

Un hymne à la vie

THOMAS CHALINE

City
Biographie

DU MÊME AUTEUR

Indochine, la véritable histoire, City Éditions, 2018.
Alain Souchon, la vie en vrai, City Éditions, 2017.
Zaz, au long de la route, City Éditions, 2017.

© **City Editions 2019**
Photo de couverture : © NBCUniversal / GettyImages

ISBN : 978-2-8246-1570-7
Code Hachette : 89 8061 0
Catalogues et manuscrits : city-editions.com

Dépôt légal : Octobre 2019

L'homme apprend des autres presque
tout ce qu'il sait, et n'existe
qu'en mettant ses rêves à l'épreuve.

Alain

1

Des anges au ciel
me souriaient

Céline Dion est une légende. On a tout dit sur son immense talent, sa carrière internationale exceptionnelle. Pourtant, elle continue de fasciner, et d'étonner à sa manière. Chaque nouvel album est un événement. Elle a connu la gloire mondiale, puis traversé les épreuves et renversé les montagnes. Aujourd'hui pour la seconde fois sans René, l'homme de sa vie, elle est de retour.

Certains spécialistes de la chanson n'hésitent pas à la définir comme « un ovni qui vient d'une autre galaxie[1] ». Et pour cause : personnalité aussi facile à comprendre que difficile à cerner par moments, elle traverse les décennies suivant son cap, bien déterminée, sûre de ses valeurs, quitte à en agacer plus d'un. Et avant ? Quelle enfance peut bien avoir vécue une diva internationale ? Quelle éducation et quelles valeurs l'ont portée ? Dans quelles racines a-t-elle

---

1. Jean-Pierre Pasqualini, *Céline Dion, plus qu'un destin*, documentaire, 2016.

puisé pour devenir cette star si singulière ? Retour sur un destin hors du commun, une légende bien vivante.

Charlemagne, « je me souviens[1] »

La légende naît de l'autre côté de l'Atlantique, sur les terres canadiennes de Gaspésie, une région du Québec. Un lieu découvert par l'éminent voyageur-écrivain français Jacques Cartier en l'an 1534. Depuis cette découverte, de nombreux Français, notamment bretons et normands, ont émigré sur ce territoire « américain » où la langue française s'est maintenue au fil des siècles malgré la domination hégémonique de la langue anglo-saxonne. Selon diverses sources généalogiques, les origines mêmes de Céline Dion viennent de cette migration. Ainsi, un aïeul nommé Jean Guyon, originaire de Mortagne-au-Perche, en Basse-Normandie, serait venu s'installer dans ce que l'on appelle alors la Nouvelle-France aux alentours de 1634. Cent cinquante ans plus tard, le nom de Guyon se serait transformé en Dion[2].

Fabienne Thibeault, la célèbre chanteuse québécoise, m'explique :

— Il faut savoir que nous, les Canadiens français, on descend de 100 à 150 couples. Ce qui fait que quelque part on se retrouve tous. Elle descend d'un Guyon au départ, son ancêtre français. Il faut remonter notre arbre généalogique pour se rendre compte qu'on est parents, avec d'autres personnalités aux mêmes racines[3].

L'histoire d'amour des parents Dion est déjà digne d'un conte québécois. Thérèse est née en 1927 d'Antoinette et

1. Devise du Québec.
2. Site *perche-quebec.com*.
3. Entretien avec l'auteur, juillet 2019.

Achille Tanguay, un couple originaire de Gaspésie. Son père fut indirectement un des bâtisseurs du village de Saint-Bernard-des-Lacs, car, après la crise de 1929, le gouvernement canadien offre des terres à qui veut bien les défricher. Ce bout de Gaspésie était alors quasi désertique, et Achille saisit l'occasion d'y construire une belle maison familiale pour abriter son épouse et leurs neuf enfants.

Thérèse est intelligente et douée, mais, par décision maternelle, à 13 ans, elle est privée du droit de poursuivre son instruction scolaire. Les temps sont durs et la famille choisit de quitter la Gaspésie pour la Mauricie et le village de La Tuque dans les années 1940. Thérèse y trouve un emploi de pouponnière qui la passionne au point qu'elle envisage d'entreprendre des études d'infirmière. Mais là encore, ses parents s'y opposent fermement. La jeune fille a tout pour être désabusée et sans espoir pour l'avenir. C'est sans compter sur le destin...

Un jour, elle accompagne tout bêtement son père qui rend visite à un ami d'enfance, un certain Charles Dion. C'est alors qu'elle fait la connaissance d'Adhémar, âgé seulement de quatre ans de plus qu'elle. La famille Dion est mélomane et le jeune Adhémar est accordéoniste amateur. Thérèse et lui tombent rapidement amoureux et le mariage a lieu le 20 juin 1945 à La Tuque. Les premières années du mariage semblent difficiles, Adhémar ne se sent pas la fibre paternelle, et, dans l'immédiat, au grand étonnement de son épouse, il ne désire pas avoir d'enfants. Toutefois, lorsque naît leur fille Denise, cette réticence naturelle s'efface et Adhémar assumera son rôle de père au pied levé.

Très vite, trois autres naissances arrivent dans le foyer Dion : Clément en 1947, Claudette en 1948 et Liette en 1950. Mais Thérèse ne se sent pas soutenue par son mari, obligé de quitter la maison, de longs mois durant, pour travailler en tant que bûcheron.

Au début des années 1950, Adhémar décide de quitter cet emploi pour être auprès de sa famille et ils emménagent dans la petite ville de Charlemagne. C'est une commune peuplée de moins de 5000 habitants, située dans la région de Lanaudière, au nord de Montréal.

L'appartement que la famille investit est trop étroit. Là encore, la providence veille. Thérèse entend à la radio un message qui ne tombe pas dans l'oreille d'une sourde : un prêt de 10 000 dollars canadiens est octroyé à 10 couples pour qu'ils puissent bâtir eux-mêmes leur propre maison.

Thérèse est une femme déterminée, qui a une foi inébranlable, à toute épreuve, et régente tout au sein de sa propre famille. Le couple Dion reçoit le prêt espéré et Thérèse orchestre le grand chantier.

En 1953, la famille emménage dans ce nouvel habitat tout neuf. La vie semble désormais paisible jusqu'à ce qu'un drame vienne frapper la famille et parasiter cette quiétude : en 1957, Charles Dion, le grand-père, est happé par un train non loin de chez eux. La mort accidentelle de son père est un choc brutal pour Adhémar. Cette perte aussi subite que violente mine l'homme qui s'enferme dans sa déprime. De plus, vivre à deux pas du drame ne fait qu'accentuer sa douleur chaque jour. La famille se résout à quitter les lieux et trouve une nouvelle maison à Charlemagne, la « maison des Dion », où ils resteront jusqu'en 1982.

En 1967, Thérèse apprend qu'elle est de nouveau enceinte. Elle n'est pas désirée et pour cause : le couple a désormais 13 enfants et elle a décidé qu'il n'y en aurait plus. Mais le destin en décide autrement à son grand désarroi puisqu'elle en fait une dépression. À cette époque, le tube d'Hugues

Aufray, « Céline », tourne en boucle sur les ondes radio-phoniques. C'est ainsi que Thérèse choisit le prénom de sa dernière fille, qui naît le 30 mars 1968 à l'hôpital Pierre-Le Gardeur de Repentigny, près de Charlemagne.

Elle porte pour deuxième prénom Marie, et en troi-sième Claudette, du nom de sa sœur aînée qui est aussi sa marraine. Si cette naissance n'était pas désirée, un lien fort se tisse néanmoins entre la mère et la fille. Thérèse est un exemple pour chacun de ses enfants, et Céline n'oublie jamais la reconnaissance qu'elle lui voue.

La musique coule dans les veines des Dion. On chante et on joue comme on respire ! Le père Adhémar est accor-déoniste depuis son enfance et Thérèse a appris le violon. C'est cette culture que le couple transmet à ses enfants. La musique comme religion et savoir-vivre. Chaque enfant touche à un instrument, guitare, piano, violon, chant. Les Dion sont à eux seuls une vraie communauté de musiciens et ils aiment à se produire en famille. Les occasions ne manquent pas. Très vite surnommés « la famille de musi-ciens de Charlemagne », ils se produisent lors de mariages ou fêtes paroissiales.

Fabienne Thibeault me raconte :

— Ce qui est extraordinaire, c'est que c'est la dernière enfant d'une famille qui lui a donné ce qu'il fallait pour qu'elle croie en son destin. Probablement, durant toute son enfance, les gens de sa famille lui ont donné de l'amour, mais plus que ça. Ils ont cette façon de faire briller dans leurs yeux, cette foi en son propre destin. Parce que cette famille est extraordinaire, ils chantent tous excessive-ment bien. Ça aussi, c'est la culture du Québec. Il y a la musique dans l'âme et dans le cœur des Québécois. Dans ma famille, tout le monde chantait. On chantait en harmonie, on chantait à trois voix. C'est très québécois. Tous ses frères et sœurs chantent, harmonisent avec facilité sans avoir vraiment appris, mais d'instinct. Il y a des peuples qui dansent, il y a des peuples qui chantent. Nous, on est un peuple qui chante[1].

Céline apprend à chanter en même temps qu'elle apprend à parler. Comme une seconde langue maternelle, le chant fait partie d'elle. Si ses parents lui ont offert une clarinette pour l'initier à leur passion, elle n'en fait pas grand-chose et préfère de loin chanter. Ainsi, elle crée la surprise lorsqu'en août 1973, alors qu'elle n'a que cinq ans, elle se produit lors du mariage de l'un de ses frères aînés, Michel. L'assistance se tait instantanément tant la voix de la petite fille laisse pantois. C'est une révélation pour sa maman Thérèse et ses sœurs. Elles lui reconnaissent aussitôt un vrai grain particulier dans la voix et une justesse inédite pour son âge. Une maîtrise du chant et une présence sur scène qui pourraient être prometteuses.

C'est à cette même époque que son père vient d'ouvrir un restaurant-bar-salon avec une de ses filles cadettes, Claudette : Le Vieux Baril. Un lieu convivial où Céline chante publiquement une première fois de façon improvisée. Sur le coup, ça a le don d'agacer sa mère, soucieuse que les clients ne soient pas dérangés par la petite fille gaie, heureuse et insouciante qui ne demande qu'à chanter. Heureusement, les clients ont l'oreille musicale et sont touchés par la voix de la petite Céline.

Bientôt, toute la ville est au courant et les gens veulent entendre « la voix ». Céline devient malgré elle un phéno-

---

1. Entretien avec l'auteur, juillet 2019.

mène local, une attraction de la petite ville que tout le monde veut entendre. Thérèse se résout à céder à la demande des clients tout en veillant à maîtriser ce qui se passe. Céline est une enfant, elle a une scolarité à poursuivre, une vie devant elle à dévorer. Chanter de temps à autre dans le bar pour la clientèle est une chose, imaginer en faire un métier en est une autre.

Pourtant, Maman Dion pense très vite que sa dernière fille peut faire une carrière, mais pas uniquement dans leur ville de Charlemagne, ni même seulement au Québec ; elle songe plutôt à une carrière internationale pour sa Céline.

Un nouvel événement familial perturbe la quiétude installée depuis quelques années et le bonheur des Dion : le bar Le Vieux Baril est ravagé par un incendie qui ne lui laisse aucune chance. C'est la fin d'une époque, emportée par la tragédie et dont la famille sort très choquée.

Du côté de la scolarité, Céline éprouve un certain malaise, car elle est en proie à un harcèlement malsain de la part de certaines camarades. Ses résultats en font les frais. La musique est sa bouée de secours, son refuge, son exutoire. Un moyen radical pour oublier l'insupportable qui l'attend chaque jour derrière les grilles de l'école. À l'âge adulte, avec le recul, elle raconte cette période avec aisance :

— Le harcèlement peut commencer très tôt, et les conséquences sont terribles, explique-t-elle. Il faut parler et il faut que l'entourage soit attentif, car les jeunes qui en sont victimes ne vont pas nécessairement aller vers les autres. C'est à nous, parents, amis, enseignants, de garder les yeux et le cœur ouverts. S'il y a des changements dans la nourriture, dans les habitudes, une perte de cheveux, une façon de se retirer... il faut aller vers cette personne et poser des questions, creuser, aller au plus profond[1].

Comme beaucoup d'adolescentes, particulièrement complexée par son physique, la jeune fille n'assume pas son image. Elle se couvre jusqu'au cou avec des vêtements amples, et ne rêve que de raser les murs jusqu'à être invisible de ses camarades. Quant à alerter ses parents de ce qu'elle vit, la honte l'en empêche :

— J'étais gênée d'en parler. Donc, ils n'ont pas vu, ils avaient trop à faire à la maison. Mais avec 13 frères et sœurs aimants, quand je rentrais le soir, je reprenais courage. J'étais la dernière, un peu leur chouchou... et je le suis toujours d'ailleurs[2] !

Ce n'était pas qu'un rêve

Nous sommes fin des années 1970, Thérèse Dion a l'ambition que Céline dépasse les frontières et ne se cantonne pas à chanter dans les bars locaux. Elle décide de s'en occuper personnellement afin de veiller sur sa fille. Elle veut s'assurer qu'elle aura une évolution à la mesure de son talent. Très vite, Maman Dion pense que Céline doit avoir son répertoire à elle. Chanter des chansons originales et ne plus faire de reprises est déjà une forte note d'ambition et d'évolution en soi. Pour cela, il lui faut trouver de vrais auteurs-compositeurs. Or, Thérèse n'a pas vraiment d'entrée dans le métier. Aucun réseau qui lui offrirait des auteurs tous dévoués à sa cause. C'est alors que sa nature déterminée la guide : elle décide d'écrire elle-même les paroles.

---

1. Interview *ELLE Magazine*, mai 2019.
2. *Ibid.*

Très vite, les premiers textes naissent, dont un intitulé « Ce n'était qu'un rêve ». Pour trouver la musique adéquate et la mélodie qui sauront relever ces paroles et mettre en avant la voix de Céline, Thérèse surprend encore ses proches : elle commande à son fils Jacques de composer.

Guitariste amateur au sein de la « famille de musiciens de Charlemagne », Jacques est le premier surpris de la demande de sa mère. Autodidacte, il ne connaît pas le solfège et n'a, selon lui, pas les codes du compositeur. Néanmoins, il accepte le défi avec grand plaisir et s'y attelle aussitôt. Dans la « chambre des garçons » à l'étage de la maison familiale, Jacques, entouré de Céline et Thérèse, teste diverses suites d'accords. Céline n'est pas en reste ; au contraire, elle apporte des idées à son frère, comme pour l'aiguiller dans la composition de sa première œuvre. Ainsi, en quelques heures, la musique est achevée et la première chanson née.

> *Ce n'était qu'un rêve*
> *Ce n'était qu'un rêve*
> *Mais si beau qu'il était vrai*
> *Comme un jour qui se lève*

Malheureusement, Thérèse Dion n'a aucun contact dans le show-business canadien de l'époque. Michel, l'un des frères de Céline, prend le taureau par les cornes et décide d'adresser la cassette-maquette de la chanson « Ce n'était qu'un rêve » au producteur-manager en vogue, René Angélil.

Né en 1942 à Montréal, de parents chrétiens originaires de Syrie, il fait ses débuts dans la musique au sein du trio Les Baronets au début des années 1960. Le groupe, composé avec René de Jean Beaulne et Pierre Labelle, obtient très vite un succès populaire. Après s'être produit dans les cabarets de Montréal, il sillonne tout le Québec à travers des salles de spectacle importantes. Le principe du groupe était de traduire en français des classiques du rock, en particulier des Beatles. Le groupe se dissout en 1972 et René se reconvertit en imprésario. C'est ainsi qu'il se met à gérer la carrière de la chanteuse-actrice québécoise Ginette Reno. Artiste à la renommée considérable et à la production discographique surabondante, elle se sépare de lui au bout de quelques années.

Fabienne Thibeault nous restitue l'époque :

— Au Québec, il y a deux univers. Il y a ce qu'on appelle le monde du cabaret, d'où sortent de beaux artistes comme Ginette Reno, Michel Richard et dont René Angélil faisait partie. Et il y a eu ce qu'on appelait les « chanson-niers ». Des chanteurs-auteurs comme Gilles Vigneault, Félix Leclerc, puis plus tard, Diane Dufresne, Robert Charlebois, etc. Puis en plein milieu des années 1970 est arrivé le premier « show-business » québécois. Il y a eu la création de plusieurs « fonds » québécois, d'un ministère de la Culture et de la Communication québécois. À partir de là, le Québec a commencé à exister aux yeux du monde avec la « chanson québécoise ». Ensuite arrivent les yé-yé au Québec. Ces artistes ou groupes d'artistes qui repre-naient en français les chansons anglo-saxonnes. Et dont René venait, après les cabarets[1].

Elle ajoute :

— La maman de Céline était une admiratrice de Ginette Reno, dont René gérait la carrière. C'était la Piaf du Québec

---

1.   Entretien avec l'auteur, juillet 2019.

à l'époque ; elle était très, très populaire. On avait tous de l'admiration et de l'affection pour Ginette Reno. Donc, c'est normal que Thérèse Dion adresse la cassette à René Angélil, puisque c'est son univers. C'est le manager de référence puisqu'il s'occupe de Ginette Reno. C'était juste une question de culture et d'univers musical[1].

Mais, au bout de quelques années, Ginette Reno décide de se séparer de René Angélil. Celui-ci songe alors tout simplement à arrêter sa carrière d'imprésario et se retirer du show-business. Il est à l'aube de ses 40 ans et pense avoir fait le tour du métier. C'est alors qu'un coup de fil va bousculer ses projets de retraite...

1. *Ibid.*

2

D'amour
ou d'amitié ?

En ce début 1981, les Dion attendent impatiemment une réponse de René Angélil. Mais leur cassette, lancée comme une bouteille à la mer, semble restée lettre morte. Michel Dion, qui a pris l'initiative de la démarche, est assez agacé d'attendre. Il décide alors de téléphoner directement à René Angélil. Une démarche assez culottée, tant Angélil est réputé et peu accessible. Le jeune homme arrive néanmoins à avoir le célèbre manager et le met face à l'évidence :

— Vous n'avez pas écouté la cassette !

Pour Michel, convaincu du talent de sa jeune sœur, si le producteur avait écouté cette maquette, il aurait été emballé et les aurait recontactés aussitôt. Or, ce ne fut pas le cas, au grand désespoir des Dion. Michel somme alors le producteur de l'écouter rapidement.

Lorsque René écoute donc cette fameuse cassette, un choc se produit en lui. Il est subjugué par la voix et, conscient de la mauvaise qualité des enregistrements « faits maison » au magnétophone, il veut l'entendre de vive voix. Il rappelle alors Michel et lui donne rendez-vous le jour même. Quelques heures plus tard, René Angélil voit arriver dans son studio une jeune fille de 13 ans, assez mal à l'aise, un peu maladroite, accompagnée de son grand frère.

Les présentations faites, il lui demande de chanter *a cappella* sa chanson. Le producteur a conscience de la demande assez folle qu'il vient de formuler. C'est un exercice pour l'époque assez compliqué que de se lancer sur une mélodie sans musique, sans repère... La jeune Céline, assez surprise et déstabilisée, est en plein doute. René lui donne alors son stylo afin qu'elle l'utilise comme un micro, ceci pour la stabiliser émotionnellement et lui donner un léger point de repère. Il lui conseille aussi d'imaginer un public pour se rassurer.

Quand Céline se lance, René est totalement impressionné. La cassette était en dessous des réelles capacités de la jeune chanteuse, et le producteur prend la mesure de son talent inouï. À la fin de la prestation, René fond en larmes. C'est le rendez-vous déterminant pour l'un et l'autre qui fait basculer leur histoire personnelle et celle de la chanson. René Angélil est convaincu qu'il tient un diamant entre ses mains, mais Céline est totalement inconnue du grand public. Si elle s'est exercée depuis son plus jeune âge dans le restaurant-bar de ses parents, elle n'a aucune expérience des vraies scènes qui font la renommée des artistes.

L'audacieux monsieur Angélil

René entreprend alors de lancer sa jeune artiste et active ses réseaux. Il contacte le plus célèbre présentateur du Québec, Michel Jasmin (le Michel Drucker québécois), qui anime une émission de variétés très populaire. Angélil est un ami de Jasmin, les deux hommes ont confiance l'un dans l'autre. Jasmin a l'expérience des artistes, tant il en a programmé des dizaines au cours de ses émissions. René demande à l'animateur si sa jeune protégée peut être programmée dans un prochain numéro de son émission. Avec la plus grande sincérité, Jasmin répond à son ami par la négative. Le problème qui se pose à ce moment n'est pas le talent ou le jeune âge de Céline. Michel Jasmin a des obligations contractuelles envers sa chaîne télévisée, notamment celle de ne programmer que des vedettes. Là, il s'agit tout juste d'une artiste en herbe. Plus encore, d'une enfant de 13 ans dont le public n'a jamais entendu parler.

Ainsi, avant d'envisager un passage télévisé à une heure de grand audimat, Michel Jasmin conseille à son ami René de d'abord produire un disque. Il faut avoir quelque chose à promouvoir pour prétendre passer à l'écran. Seulement, Angélil veut s'assurer que Céline sera bien programmée dans son émission. Les deux hommes passent alors un accord moral : si Angélil produit le disque, Jasmin la programme.

Toutefois, la situation est plus complexe que ça. Il se trouve qu'après son éviction par Ginette Reno, Angélil est désargenté. Il ne dispose pas du minimum de trésorerie nécessaire pour lancer quelque projet que ce soit. Et pour cause, son seul projet de showbiz était la retraite ! Mais il tient une perle rare en Céline Dion et ne veut surtout pas la laisser s'échapper. Alors, pour pouvoir dégager des fonds et produire la chanson, René décide tout bonnement d'hypothéquer sa maison familiale. C'est un risque énorme, car il est père d'une famille avec deux enfants. L'homme est sûr de son coup et fait preuve d'audace.

Le 19 juin 1981, Céline Dion fait sa première télévision. Pour Céline comme pour René, l'instant est décisif. Ils le savent, mais se concentrent sur la prestation de Céline. La jeune fille prend sur elle et gère son stress. Elle donne ce qu'elle a en se comportant en véritable professionnelle. À l'image, rien ne transparaît de sa jeunesse, de son innocence, de son manque d'expérience. Elle a une attitude aguerrie assez épatante. Le public sur le plateau et les spectateurs devant leur poste de télévision restent médusés devant la grâce de la jeune chanteuse de Charlemagne. Céline se montre bel et bien déterminée à accomplir son rêve, celui de sa mère, et à réaliser les espoirs de sa famille entière et de René Angélil son manager.

La première étape du plan d'Angélil est réussie avec brio. Mais tout reste à faire. René veut trouver des chansons à la hauteur de la voix de Céline. Là encore, il sait à quelle porte frapper. Il contacte Eddy Marnay, parolier à succès qui s'est fait un nom depuis les années 1950 à travers des interprètes comme Édith Piaf, Patachou, Yves Montand ou encore Juliette Gréco. Il a écrit également le plus grand tube des années 1960 de Françoise Hardy : « La maison où j'ai grandi », adaptation française du succès italien « Il ragazzo delle via gluck » d'Adriano Celentano de 1966 (succès repris aux États-Unis par Barbra Streisand). Marnay est aux yeux de René Angélil une référence majeure en tant qu'auteur. Une fois de plus, rien n'est gagné. Il faut convaincre l'auteur d'adhérer au « projet Dion ». Après 30 ans de succès, qu'est-ce qui peut encore motiver un parolier à se lancer sur une artiste très jeune et inconnue ?

À l'invitation de René Angélil, Marnay accepte de se déplacer à Montréal avec sa compagne. Amateur de grandes voix, il se déplace sans *a priori*, plutôt enthousiaste quant à la rencontre à venir. Lorsqu'elle se produit, c'est un véritable coup de foudre artistique et émotionnel, avec en plus un côté affectif, car Marnay voit Céline comme une chanteuse à voix, talentueuse, certes, mais également comme une enfant qui pourrait être sa propre fille. Marnay, plus que convaincu, accepte évidemment cette nouvelle aventure musicale. Et comme Céline a déjà pris une place particulière, il tient à lui concocter des textes sur mesure. Eddy Marnay repousse ses propres limites puisqu'il compose pour la première fois de sa vie une musique. Cela aboutit à la chanson « La voix du Bon Dieu », qui devient titre éponyme du premier album sorti au Québec le 9 novembre 1981.

> *Les mots pour consoler les mots pour l'amitié*
> *Ils sont encore plus beaux quand on peut les chanter*
> *C'est un filtre magique*
> *Ce don de la musique*
> *C'est comme un grand cadeau*
> *Que le ciel nous a fait*

Ces paroles, ode à l'amour et l'amitié, reflètent les valeurs du catholicisme, et la couleur idéaliste et romantique qui se dessine autour de l'artiste. Elle est une enfant qui porte pleinement la joie de vivre, l'innocence, la gaieté dans les valeurs judéo-chrétiennes véhiculées à l'époque. On pourrait parfaitement croire que ce titre est une commande du Vatican. Cela dénote aussi le paysage musical qui commence à germer notamment en France. L'intention n'est pas, pour l'heure, de percer sur le territoire français. Il lui faut d'abord être maîtresse en sa province pour espérer passer outre les océans et glaner la gloire.

Produit par le petit label de René, Les Disques Super Étoiles, il se vend à plus de 50 000 exemplaires au Québec et est certifié disque d'or. On retient que les textes ont été écrits en majorité par Eddy Marnay et Thérèse Dion à deux exceptions près. Un album tout personnel qui ne dépasse pas les frontières du Québec. Il est cependant un bon test de popularité pour la jeune chanteuse et annonce le succès à venir.

Le mois suivant, un album commercial intitulé « Céline Dion chante Noël » sort dans les bacs québécois. Histoire de battre le fer tant qu'il est chaud en cette période de fête. Cependant, le succès est moindre que « La voix du Bon Dieu ». On ressent déjà l'exigence du public québécois qui ne se laisse pas amadouer par les fêtes de Noël pour consommer tout produit commercial, surtout lorsqu'il s'agit de musique. Il veut de l'authentique, du neuf, du beau. Et le second album ne les décevra pas.

Presque un an après le premier album, en septembre 1982, c'est le retour de l'enfant prodige ! « J'ai tellement d'amour... » confirme les prémices amorcées par « La voix du Bon Dieu ». Album produit par le label Saisons et Eddy Marnay. Le premier single, « J'ai tellement d'amour pour toi », se place en troisième position des charts québécois. Mais ça ne s'arrête pas là. Au début de l'année 1983, le deuxième single « D'amour ou d'amitié », écrit par Eddy Marnay, fait décoller l'artiste québécoise. C'est le premier grand tube de l'artiste puisqu'il dépasse les frontières et la fait connaître en France et en Belgique. Vendu à plus de 50 000 exemplaires, le single est certifié disque d'or au Québec. L'album, quant à lui, s'écoule à plus de 125 000 copies et devient certifié platine. Il est consacré par quatre Félix (équivalent des Victoires de la musique en France), notamment « interprète féminine de l'année », « révélation de l'année » et « artiste québécois s'étant le plus illustré hors du Québec ».

Il est si près de moi pourtant je ne sais pas
Comment l'aimer
Lui seul peut décider qu'on se parle d'amour
Ou d'amitié
Moi je l'aime et je peux lui offrir ma vie
Même s'il ne veut pas de ma vie

Céline Dion montre le chemin à une nouvelle catégorie d'artistes : les « chanteuses à voix ». La puissance vocale authentique qu'elle apporte se révèle à l'époque totalement inédite. Les artistes chantaient des histoires tandis que le côté « vocal » était réservé à l'opéra. Avec Céline Dion, c'est la chanson française qui est bousculée et repensée tant elle en inspirera bien d'autres par la suite. Elle n'a que 15 ans et bat tous les records de l'histoire de la chanson. Mais pour René Angélil et Thérèse Dion, ce n'est qu'un début. Leur protégée ayant dépassé leurs espérances initiales, ils veulent maintenant conquérir le monde entier, et elle en a les capacités.

Pour que la rencontre avec le public français ait lieu, il a fallu l'entremise d'un producteur ayant une parfaite connaissance du marché. C'est alors qu'un jour, Eddy Marnay contacte Jean-Jacques Souplet, producteur chez Pathé-Marconi. Souplet est réputé faire la pluie et le beau temps sur la chanson française depuis une décennie. Plusieurs artistes lui doivent leur carrière. Lors de la décennie 1970, Jean-Jacques Souplet, alors directeur artistique chez CBS, a fait décoller de nombreuses carrières jusqu'à atteindre des sommets contre vents et marées. « Vanina » et « Du côté de chez Swann » de Dave, « Manureva » d'Alain Chamfort, « La ballade des gens heureux » de Gérard Lenorman jusqu'à « Petite Marie » et « Je l'aime à mourir » de Francis Cabrel.

Il a l'oreille fine et sait flairer le talent. C'est un mélomane amoureux des artistes, qui sait tirer d'eux le meilleur pour conquérir le public. Lorsque Marnay débarque dans son bureau avec la jeune Céline Dion, Souplet peut, au premier abord, paraître perplexe. Mais à l'écoute de leur titre « D'amour ou d'amitié », le producteur français bascule émotionnellement et signe aussitôt la prometteuse chanteuse.

Mais Souplet, c'est une stratégie à suivre à la lettre. Il a son idée pour faire entrer Céline Dion sur le marché français.

L'épreuve orale se déroule cette année-là sur la Côte d'Azur. Le Marché international de l'édition musicale de Cannes est l'événement annuel rassemblant tous les professionnels de la musique du monde entier. En plein Palais des festivals, la jeune Céline participe pour la première fois au gala traditionnel, là où d'autres stars ont fait leurs débuts quelques années plus tôt, de Mike Brant à Joe Dassin.

Ce soir-là, la chanteuse québécoise conquiert le public en quelques secondes. Épreuve réussie avec une facilité déconcertante, selon les professionnels qui assistent, médusés, à la naissance d'une diva.

Céline Dion raconte comment elle a vécu cette première expérience française :

— Quand j'ai fait le Midem, ça a été une grande expérience, car c'était la première fois que je rencontrais le public français, première fois que j'avais contact avec les gens de la France. J'avoue que j'étais très nerveuse parce que les autres artistes qui se produisaient ce soir-là étaient des artistes qui avaient une carrière déjà commencée et des milliers de disques vendus. Alors que moi, je débutais. Quand je suis sortie de scène, j'en avais les larmes aux yeux et l'accueil que le public m'a réservé était fabuleux[1].

Cette prestation fait vite le tour des médias et arrive aux oreilles d'un certain Michel Drucker, animateur populaire qui présente à l'époque l'émission de variétés *Champs-Élysées* sur Antenne 2. L'animateur, subjugué par la jeune interprète, décide de la programmer en première partie de soirée.

En janvier 1983, Céline interprète « D'amour ou d'amitié » et renverse le public français. Le jeune public est en particulier conquis par l'adolescente canadienne. La prestation de Céline provoque au lendemain de son passage télévisé des ventes impressionnantes de ce single à la pochette réfléchie sur mesure : une pose romantique sous une teinte jaune. Ces ventes phénoménales la consacrent rapidement disque d'or en France avec plus de 700 000 exemplaires écoulés. Elle devient ainsi la première artiste canadienne à obtenir cette consécration. Jusqu'alors, les artistes québécois s'étant illustrés en France comme Gilles Vigneault, Robert Charlebois ou encore Félix Leclerc étaient de la catégorie des artisans de la chanson. Céline Dion apporte une popularité inédite en France et une voix qui résonne rapidement dans les foyers français. Pascal Evans, journaliste et directeur général de Radio CKIA au Québec, voit les débuts de la jeune surdouée :

---

1. Interview « Le Québec vous dit bonjour », Radio Liberté, 1984.

— Je travaillais pour le chanteur français Daniel Guichard, propriétaire de la seule radio 100 % francophone en France. Nous ne diffusions que de la musique française ancienne et actuelle (années 1980). Céline Dion était donc une artiste que Radio Bocal mettait de l'avant. Nous étions les seuls[1]...

Toutefois, ce succès est éphémère.

— Une voix comme celle de Céline n'était pas dans la tradition française, explique Pascal Evans. Je ne dis pas que le répertoire français manque de grandes voix, je dis qu'une jeune fille de 13 ans qui chante avec une voix aussi pure, ça n'existait pas en France. Je suis de culture nord-américaine et pour nous rien n'est impossible. [...] Le coup de foudre entre Céline Dion et les Français n'a donc pas été instantané[2].

Nous sommes en pleine décennie 1980 et bon nombre de chanteuses arrivent sur le devant de la scène avec leur propre univers. C'est le cas de Mylène Farmer ou Jeanne Mas. Et puis il traîne encore une certaine aversion de la part du public français pour que la relation soit pérenne. Son naturel québécois a de quoi décontenancer l'auditoire et son look n'est pas très tendance, selon les analystes. Une image de petite fille trop polie qui bloque les Français et crée une réticence à l'égard de la jeune surdouée canadienne. Côté musique, 1983 révèle des valeurs sûres de la chanson française avec Francis Cabrel et son album « Quelqu'un de l'intérieur », sacré double disque de platine, Jean-Jacques Goldman inonde les ondes avec ses tubes « Quand la musique est bonne » et « Au bout de mes rêves ». Julien Clerc avec son « Cœur de rockeur » ou encore Jackie

1. Entretien avec l'auteur, juillet-août 2019.
2. Entretien avec l'auteur, juillet-août 2019.

Quartz et sa « Mise au point » marquent les esprits jusqu'à l'arrivée tonitruante du groupe Indochine et leur tube estival « L'aventurier ».

Cette chanson est assez représentative de l'époque et du bouleversement qui s'opère. Très électronique et électrique, la musique des années 1980 se libère et innove tant sur le fond que sur la forme, où les looks se lâchent, quitte à en choquer plus d'un.

Ce succès exceptionnel, dont beaucoup d'artistes se contenteraient, ne suffit pas au clan Dion. À la manœuvre, René Angélil fait preuve d'un savoir-faire et d'une maîtrise dans l'ombre des *spotlights* qui illuminent sa protégée. Tout est calibré au millimètre près, que ce soit l'image à travers les médias et les interviews, ses rencontres avec les fans ainsi que les ventes de disques. Le plan est réfléchi pour fonctionner à merveille et la réussite est au rendez-vous. C'est une question de préparation et de temps qu'il ne faut pas négliger.

L'audace dont il a fait preuve deux ans auparavant traduit une intuition et une foi inébranlables. Imaginez-vous cet homme de 40 ans, décidé à se retirer du métier, et qui prend le pari fou de lancer une adolescente de 13 ans en hypothéquant sa maison. Il n'en menait pas large... L'organisation est désormais bien ficelée, il n'y a qu'à suivre la feuille de route, toujours avec vigilance, certes, mais la machine est lancée pour ne plus s'arrêter.

Avant de lancer l'offensive, deux albums paraissent uniquement au Québec. Fin 1983, « Les chemins de ma maison », dont la totalité des paroles a été écrite par Eddy Marnay. Il se vend à plus 150 000 exemplaires et devient disque de platine. Il permet aussi et surtout à la jeune artiste de 15 ans d'avoir vendu en tout 250 000 albums. Il est en cette année 1983 l'album le plus vendu au Québec et installe un peu plus Céline Dion aux yeux du public. À preuve, le single « Mon ami m'a quittée » reste neuf semaines consécutives numéro 1 des charts québécois. Une jolie ballade comme on les aime, basée sur la guitare et une mélodie assez populaire qui a de quoi rester facilement dans les esprits. Cependant, le texte voit une évolution puisqu'il évoque une déception affective à laquelle fait face la jeune adolescente.

Mon ami est ailleurs
Je ne sais où
Auprès d'un autre cœur
Et loin de nous
À cueillir d'autres fleurs
Et d'autres rendez-vous

Après l'amour et le romantisme, thèmes des deux premiers albums, voici quelques aspects plus sombres et nébuleux enfin chantés par la surdouée québécoise. C'est une mutation en douceur dans les textes que défend l'interprète, même si la musique fleure bon toujours un certain cocon affectif.

En cette même fin d'année, une première compilation sort dans les bacs canadiens. Elle est intitulée « Du soleil au cœur ». Elle rassemble en 10 titres phares les 2 premiers albums de l'artiste. Enfin, pour clore cette année 1983 riche de succès, Céline Dion réitère son expérience de chansons de Noël. Début décembre, un nouveau disque, « Chants et contes de Noël », est sur le marché. Il se vend mieux que le premier de ce thème avec cette fois-ci 75 000 exemplaires et un disque d'or à la clé.

Une Dion peut en cacher une autre

À la fin de l'été 1984 arrive un nouvel album studio, qui a pour titre « Mélanie ». La chanson éponyme est inspirée d'une épreuve personnelle que vit l'artiste. L'une de ses nièces, Karine, est atteinte d'une maladie génétique, la fibrose kystique. Dans cette chanson, l'artiste aborde le sujet de l'enfance affaiblie, démunie, touchée par la maladie. Des paroles sensibles et poétiques auxquelles le public canadien, qui répond toujours plus présent, est réceptif. Cet album est aussi exclusivement distribué au Québec et se vend à 175 000 exemplaires.

Il contient la chanson « Une colombe », qui devient disques d'or. Ce titre a été écrit et composé exclusivement pour la venue du pape Jean-Paul II à Montréal. L'artiste le lui chante en *live*, devant les 65 000 spectateurs venus au Stade olympique de Montréal le 11 septembre 1984. Une chanson de paix et de liberté, universelles dans ce monde qui vacille. Qui de mieux qu'une adolescente de 16 ans portant encore sur son visage les traits de la naïveté et de l'innocence pour interpréter cette chanson ?

Une colombe est partie en voyage
Pour faire chanter partout sur son passage
La paix, l'amour et l'amitié
La paix, l'amour, la vérité
Quand elle ouvre ses ailes
C'est pour la liberté

« Mon rêve de toujours », le single qui sort en septembre 1984, revient aux thématiques de base de Céline Dion :

l'amour et le romantisme. C'est la dédicace d'une jeune fille à un homme idéalisé en « rêve de toujours », constituée de vers solides posés sur fond de piano, berçant ce rêve. Une bonne recette pouvant rivaliser avec les plus belles chansons d'amour.

Ce retour aux sources textuelles et musicales se confirme avec « Un amour pour moi ». Un songe idéal interprété sur une orchestration bien rodée et rythmée par des guitares, le synthétiseur et les percussions finement ajustés. À long terme, cette couleur musicale est-elle assez puissante pour s'ancrer dans le paysage français, cible première de René Angélil ?

En 1984, c'est une autre Dion qui fait sensation. La sœur aînée (et marraine) de Céline, Claudette, alors âgée de 36 ans, interprète « L'hymne à l'amour » d'Édith Piaf sur le plateau de Michel Jasmin. René Angélil produit ses deux premiers albums et l'artiste recueille un bon succès au Québec, dans le registre d'Édith Piaf. Sur le second album de Claudette figure un duo interprété par les deux sœurs. Il scelle en musique et sur CD le lien particulier et fusionnel qui les unit. Cette carrière ne dépassera pas les frontières du Québec, mais aura le mérite d'exister pour le talent de l'artiste et non pour sa parenté avec Céline Dion. Il est souvent compliqué de se frayer une place sur le devant de la scène lorsqu'un parent est déjà une vedette populaire. Claudette poursuit sa route sans vouloir marcher dans les pas de sa filleule et réussira à glaner une notoriété propre.

Une nouvelle compilation intitulée « Les oiseaux du bonheur » sort dans la foulée, mais destinée cette fois au public français et belge. Elle ne remporte pas le succès escompté. Mais sa présence chez tous les disquaires fonctionne, car elle permet néanmoins à Céline Dion de faire les premières parties de Patrick Sébastien à l'Olympia de Paris à l'automne 1984.

Durant l'hiver et le printemps suivants, Céline prépare un autre opus. Entre-temps, de nouvelles activités sont mises en place. La jeune adolescente ne reste pas oisive et sait trouver des occupations utiles à son équilibre et son avenir :

— Je ne vais plus à l'école publique, mais j'ai un professeur particulier qui vient chez moi deux fois par semaine. Je suis des cours d'anglais également. Je fais du sport, natation, patin à roulettes, ski nautique. De la danse cinq fois par semaine. Je prends des leçons de piano parce que j'ai l'intention, un jour, de composer moi-même mes propres musiques[1].

L'album voit le jour à la fin de l'été 1985 sous le titre « C'est pour toi ». Eddy Marnay est toujours parolier exclusif et à la production. Le premier single éponyme de l'album sort en septembre. C'est un slow sentimental arrangé sous un piano lent.

C'est pour toi, toi que j'aime encore
C'est pour toi que je suis là
C'est pour toi, toi que j'ouvre mes bras
C'est pour toi, toi que rouge et blanc se mélangent tout le
temps
C'est pour toi aussi que j'aime les enfants

L'identité poétique Dion dans toute sa splendeur, mais qui ne séduit pas les foules. Cinquante mille exemplaires

---

1. Interview Radio Liberté, « Le Québec vous dit bonjour », 1984.

de vendus – « à peine » serait-on tenté de dire. En deçà des ambitions de René Angélil et du clan Dion. Une baisse de régime ? Quelques mois d'absence déjà trop longs pour son public ? Une lassitude des fans de la première heure qui ont évolué vers d'autres artistes ? Cependant, on ne peut reprocher à Céline Dion de s'être écartée de son identité artistique à des fins commerciales. Tout dans ce disque reste fidèle à l'artiste. Trop, peut-on penser, et sans évolution. C'est un peu l'album du « genre » risqué à ce stade de sa carrière lorsqu'on sait les projets de son manager. Une meilleure évolution musicale aurait dû avoir lieu tant dans la musique que dans les textes, raflant un plus large public au Canada comme en Europe. Car en 1985, c'est un bouillonnement qui a lieu sur la scène musicale française. On voit éclore les déjantés Rita Mitsouko et leur « Marcia Baïla », Jean-Pierre Mader fait danser les foules avec « Macumba », Cookie Dingler révolutionne avec sa « Femme libérée » et Julien Clerc chante « Mélissa ». On entend encore Philippe Lavil et son « Elle préfère l'amour en mer », les Toulousains de Gold « Un peu plus près des étoiles » ou Jean-Jacques Goldman avec « Je marche seul » et son duo avec Michael Jones « Je te donne ». Le groupe de rock Téléphone prend le pas sur Indochine et illumine les jeunes de leur « Autre monde ».

Loin de se laisser démonter par les critiques qui peuvent lui être adressées, l'artiste assume pleinement et même fièrement ce qu'elle chante. Elle en défend la nature et l'auteur Eddy Marnay, père spirituel à qui elle s'est ouverte et liée d'affection :

— Toutes les chansons écrites par Eddy Marnay sont faites sur mesure. Il connaît bien tout mon environnement, ma famille, mes parents, mes frères et sœurs, mes amis. Il sait tout ce que je vis. Donc, ces chansons me ressemblent et je les ressens très fortement[1].

— Eddy Marnay lui a fait de très beaux textes, ce qui n'était vraiment pas évident... pour un parolier de traduire les pensées et mots d'une enfant[2], estime Fabienne Thibeault.

Ainsi, ce manque d'évolution musicale peut être préjudiciable à bien des égards pour la jeune chanteuse. Par comparaison, un artiste comme Francis Cabrel, devenu célèbre avec « Je l'aime à mourir » en 1979 (chanson arrangée autour d'une seule guitare et quelques cordes en soutien de fond), a évolué de belle manière avec en 1985 « Encore et encore », où les guitares électriques et la batterie rythment la chanson et résonnent au plus juste sans dénaturer pour autant l'artiste. Pour pouvoir franchir un cap, il manque à l'équipe Céline un révélateur extérieur. Quelqu'un qui puisse l'affranchir de l'image de ses débuts, musicalement et physiquement.

En cette même année 1985, Céline Dion est une artiste qui compte au Québec. Elle est sollicitée pour la première fois pour prêter son image et chanter au profit d'une œuvre caritative. Il s'agit de venir en aide aux enfants éthiopiens. La chanson a pour titre « Les yeux de la faim ».

Dans le même temps, en France, répondant à l'appel du chanteur Renaud, tous les plus grands artistes français, sans exception, se mobilisent pour la même cause, sous l'appellation « Chanteurs sans frontières ». La chanson « Éthiopie » est encore aujourd'hui un vif succès.

En toute fin d'année, un premier album *live*, « Céline Dion en concert », sort dans les bacs canadiens. Enregistré

---

1. Interview Radio Liberté, 1984.
2. Entretien avec l'auteur, juillet 2019.

au printemps précédent lors d'un concert à la Place des Arts de Montréal, l'artiste troque son répertoire traditionnel pour des reprises-hommages à Félix Leclerc et l'immense compositeur français Michel Legrand. Ce premier *live* assure le service minimum en se vendant à 50 000 exemplaires et devient disque d'or au Canada. Le bémol est que les titres interprétés en anglais sont critiqués pour son manque de maîtrise de la langue. Elle ne semble pas vraiment savoir ce qu'elle raconte et sa phonétique est trop défaillante, selon les spectateurs.

Elle prête également sa voix à une première bande originale de film : *Opération Beurre de pinottes*, une production canadienne. À cette occasion, elle enregistre sa première chanson en anglais « Listen to the Magic Man », qui se voit également mise à l'image par un clip vidéo.

Une tentative internationale qui reste anecdotique, mais qui pose les jalons de l'avenir de l'artiste et de son manager. On le verra plus tard, il faudra 13 années d'attente pour qu'une sortie en anglais à l'international sacre Céline Dion définitivement au rang des plus grandes voix de l'histoire de la chanson.

Avant cela, les années de construction et de travail se poursuivent rigoureusement sans lésiner sur les étapes à franchir.

3

Je recommence
ma vie à zéro

Au début de l'année 1986, la production Dion décide de sortir en France la chanson « Billy ». Un titre dans la lignée de l'œuvre jusqu'alors défendue par l'artiste. De belles paroles sentimentales et poétiques signées Marnay. Comme une dernière lettre de la jeune adolescente, avant un changement radical de ton et de mots, qui marquera l'arrivée d'une jeune femme plus mature et sereine, prête à conquérir les sommets du show-business.

Billy pourvu que tu m'aimes
Que mon nom s'enroule à ton nom
Si les gens s'aiment
Comme nous nous aimons
Les magiciens reviendront

René a pris le temps de l'observation et de l'analyse durant ces deux années pleines. Un diagnostic nécessaire pour repousser les limites et atteindre les objectifs désirés.

Eddy Marnay semble, lui, se rendre à certaines évidences. Son rapport affectif à Céline l'oblige naturellement à une bienveillance exemplaire. Aussi, il semblerait que son style d'écriture appartienne à une époque qui n'est plus, et l'auteur a bien du mal à créer des textes plus modernes. Un jour, il suggère humblement de solliciter Luc Plamondon, parolier québécois, auteur du célèbre opéra rock *Starmania* composé par Michel Berger. Marnay, un peu naïvement, ignore que sa démarche bienveillante le met sur la touche et l'écarte de la carrière de celle qu'il considère comme sa fille spirituelle.

La décision de changer de parolier apparaît comme inévitable, mais c'est aussi une page qui se tourne définitivement. Il est parfois des choix difficiles dans la vie, où l'on doit composer entre l'affect et l'efficacité. Marnay se retrouve du jour au lendemain écarté du clan Dion et ne l'approchera pour ainsi dire plus jamais. Comme si sa fille prenait son indépendance pour voler de ses propres ailes. Le père musical se trouve désemparé affectivement.

Naturellement, écrire des chansons pour Céline Dion intéresse beaucoup Luc Plamondon, qui est l'auteur en vogue au Québec. Ce désir réciproque aboutit très vite à une fructueuse collaboration.

Du côté « production », la maison de disques CBS domine la planète musique. Elle est aux États-Unis la marque de Michael Jackson et Bruce Springsteen, et en France, de Jean-Jacques Goldman ou Francis Cabrel. Céline Dion et René Angélil savent clairement que c'est le label qui peut faire passer un cap à l'artiste. Signer chez CBS Disques, c'est se donner l'opportunité d'une solide carrière internationale.

En 1986, pour qu'elle soit vue par les gens de CBS, René obtient que Céline se produise lors d'un séminaire international qui a lieu à Estérel, dans la région des Laurentides.

L'artiste raconte ses impressions dans ce moment quasi fatidique :

— J'ai chanté sept chansons avec mes musiciens. Je connaissais déjà les gens de CBS Montréal, mais là il y avait le monde entier. Je m'attendais à un accueil, pas froid, pas chaleureux, mais disons mitigé. Et ça a été le contraire, les gens étaient debout. Sans me vanter, c'est vrai, ils étaient tous debout. L'accueil était vraiment chaleureux. J'ai été impressionnée parce que c'étaient 150 personnes dans la salle, mais les plus importants de CBS. La différence est que, moi, je ne veux pas uniquement chanter en français et uniquement chanter au Québec. Mon rêve depuis toujours est de chanter à travers le monde, dans des langues différentes, de devenir une vraie vedette internationale. Lorsqu'on entre chez CBS, le décor et l'ambiance donnent le goût de travailler encore plus pour arriver à cela.

Un dernier *best-of* sort avant qu'une nouvelle production signée CBS ne voie le jour. Cette compilation dévoile le titre inédit « Fais ce que tu voudras » et se vend à plus de 150 000 exemplaires. La nouveauté est dans la matérialisation de l'œuvre puisque ce *best-of* sort en CD, alors nouveau support à la mode. La cassette et le 33 tours entament dès lors leur lente extinction pour laisser place au *compact disc*, qui deviendra le support exclusif au milieu des années 1990.

Une métamorphose fructueuse

Selon René, avant d'envisager la suite, l'artiste à la voix d'or doit évoluer sur le plan physique. Passer de la petite adolescente à un physique plus femme, plus sophistiqué, plus diva, correspondant mieux à sa voix. Ainsi, quelques mois durant l'année 1986, Céline Dion se met au vert pour opérer une métamorphose de son image, essentielle aux yeux de son manager s'ils veulent aller encore plus loin. Elle suit aussi des cours d'anglais en vue d'une carrière internationale et de la conquête du marché américain.

Toutefois, cette pause de quelques mois est très risquée ; nous sommes au cœur des années 1980, où musicalement tout bouge à grande vitesse. Un artiste peut faire le tube de l'été, côtoyer le sommet des charts, puis facilement retomber dans l'anonymat. Certains en ont fait la douloureuse expérience, l'hypersensibilité et l'ego bien connus des artistes pouvant les mener à mal gérer psychologiquement cette chute médiatique.

Entre un manager bienveillant qui s'est totalement investi à ses risques et périls, une mère omniprésente, mais aussi une fratrie affectueuse et encourageante, Céline a l'avantage d'être particulièrement bien entourée. Surtout, René Angélil ne gère que la carrière de Céline, contrairement à d'autres managers ou producteurs qui ont des dizaines de carrières à faire tourner.

Et la métamorphose porte ses fruits ! Lorsqu'elle fait son retour, quelques mois plus tard, elle arbore un look et un physique qui font oublier la petite adolescente de Charlemagne ! Cheveux coupés au carré, dentition refaite, tenues plus féminines, maquillage mettant ses traits en valeur, sans tomber dans le tape-à-l'œil et la vulgarité. La nouvelle Céline Dion fait sensation.

En 1987, l'album « Incognito » signe son retour et marque d'une pierre blanche ce nouveau départ. Le passage de témoin entre Eddy Marnay et Luc Plamondon apparaît clairement sur l'album puisqu'ils se partagent à parts quasi égales les paroles des chansons. Luc Plamondon, parolier historique et découvreur de Diane Dufresne, semble bel et bien celui qui imposera Céline auprès du public français. Son talent est d'écrire au millimètre pour son interprète. Ainsi, ils vont avoir de longs entretiens, personnels, voire intimes, afin que les textes correspondent pleinement à la personnalité de Céline.

Sur des musiques plus pop-rock, les textes signés Luc Plamondon font mouche. Un changement du tout au tout, empreint d'espoir pour les ambitions de René et de la famille Dion. L'album « Incognito », sorti au printemps 1987, se vend à plus de 500 000 exemplaires dans le monde et est sacré double disque de platine au Canada. On peut observer une évolution assez puissante, ne serait-ce que dans certains des textes qu'écrit l'auteur de *Starmania*. « Lolita » en est une illustration.

Ce second single de l'album traite le mythe de la femme enfant et se classe numéro 1 des charts canadiens. Céline Dion interprète des paroles chaudes, voire quasi sensuelles telles que « Lolita n'est pas trop jeune pour aimer, pas trop jeune pour se donner ».

On est loin du romantisme pudique et délicat chanté quelques années plus tôt dans « D'amour ou d'amitié ». Mais cela a le don de rafraîchir l'image de l'artiste et lui donner enfin un côté pop bien en phase avec ce qui tourne à l'époque sur les ondes radiophoniques.

Au-delà de ce titre, on ressent plus de maturité à l'écoute d'« Incognito ». Céline, qui a tout juste 19 ans, semble se lâcher et être bien dans sa peau. Sa voix est toujours aussi belle, elle ne s'écarte pas de ses fondements, mais elle s'en sert au contraire dans cet exercice délicat de mutation vers la pop-rock des années 1980-90.

Dès sa sortie, la chanson « Incognito », rythmée par son jeu de basse et de percussions très caractéristique des années 1980, se classe numéro 1 des charts canadiens. Une vraie chanson pop dans les règles de l'art. Dans le texte, l'interprète parle d'un départ à zéro. Tout recommencer à l'autre bout du monde. Les paroles sont assez simples, faciles à retenir et la mélodie est entraînante. La recette du tube pop par excellence.

« On traverse un miroir », troisième single à passer sur les ondes, se classe numéro 2 des charts en septembre 1987. Une chanson aux arrangements statiques, au rythme mezzo, soutenue par les claviers et des refrains chantés par des chœurs féminins. Elle évoque le trouble amoureux. Le cœur qui bascule à nouveau lorsqu'on n'attend plus rien de la vie sentimentale. Une lueur d'espoir réapparaît, mais les déceptions passées commandent la prudence et la pudeur lorsqu'on veut crier sa folie d'aimer...

On se tait, on reste accrochés
Comme deux enfants désespérés
C'est l'amour, c'est l'accident
On sent passer le courant

Deux autres singles d'« Incognito » finissent numéro 1 dans les charts canadiens. La chanson d'amour « D'abord, c'est quoi l'amour » en juin 1988 et ensuite le titre « Comme un cœur froid ». Ce dernier démarre en fanfare avec son introduction de saxophones. Sur un rythme de ballade lente, quasiment un slow appuyé par les basses, assez réussi, le texte parle de l'amour à travers la relation à « l'autre ». L'interprète semble baignée dans le vide de la solitude physique quand l'élu de son cœur parcourt la terre.

Il semble y avoir un déséquilibre et un manque de réciprocité dans le rythme de vie et dans les sentiments puisqu'elle dit clairement que lorsqu'elle voyage, « c'est autour de nous ». La conséquence de l'histoire est simplement dite « L'amour manque à l'amour ».

Étonnamment produit par l'auteur-compositeur de hard-rock Aldo Nova, qui a obtenu un beau succès commercial aux États-Unis, accompagné de Pierre Bazinet et Jean-Alain Roussel, « Incognito » livre un package assez efficace puisque la tournée éponyme qui suit est couronnée de succès. Ce sont aussi plusieurs prix Félix que reçoit Céline Dion, dont « meilleure performance en concert de l'année » en 1988. La chanteuse est également consacrée « meilleure interprète féminine de l'année » et la chanson « Incognito » « meilleure chanson populaire ». Une performance exceptionnelle qui relance la surdouée québécoise sur de bonnes bases.

Avec « Incognito », c'est un nouveau départ qui ancre l'artiste dans le paysage musical canadien. Un album aussi riche qu'efficace qui a atteint son objectif. Céline Dion y gagne l'estime du public en plus des belles ventes de disques. Elle est désormais une artiste qui compte et que l'on suit en masse. Une vraie vedette, pour ne pas encore dire une star, qui pose là les premiers jalons de l'acte II de sa carrière.

Si elle exprime clairement d'autres ambitions, comme faire du cinéma, elle n'analyse pas cet album de la même façon :

— Ce n'est pas une nouvelle Céline Dion, déclare-t-elle. C'est autre chose que j'avais envie de faire. J'ai encore le goût de chanter des chansons romantiques, mais je veux bouger aussi. Je veux tout me permettre, je veux faire plein de choses musicalement[1].

L'album, auréolé de ce fort succès canadien, voit une version française sur mesure qui sort en 1988. Deux chansons de la version originale ne sont toutefois pas publiées, mais remplacées. C'est le cas du titre « Délivre-moi », qui a pourtant obtenu la quatrième place des charts, mais n'apparaît pas en France. On trouve par contre deux inédits, à savoir, « Ma chambre », écrit par l'artiste canadien à succès Jean-Pierre Ferland, et une autre chanson qui fera bientôt parler d'elle comme nous allons le voir...

Par ailleurs, deux singles sortent en France courant 1988 sans obtenir du succès : « Je ne veux pas » et « La religieuse », signés Didier Barbelivien, auteur-compositeur français à tubes. Dans le même temps, la chanson « Partout je te vois » est l'objet d'une version anglaise qui remporte un beau succès d'estime et une belle critique. Là encore, l'expérience demeure positive et constructive pour l'avenir.

Pourtant, en France, on peut se dire qu'elle perd du terrain. Cette année-là, Mylène Farmer inonde les écrans avec son clip « Pourvu qu'elles soient douces », qui bat tous les records. Elle est aussi la première artiste féminine à vendre un album avec plus d'un million d'exemplaires pour « Ainsi soit je... » Du côté des valeurs sûres, France Gall sort en 1988 sans doute ses plus beaux tubes avec « Évidemment », chanson hommage à Daniel Balavoine tragiquement disparu deux ans plus tôt, ainsi que « Ella, elle l'a », pièce dédiée à l'artiste américaine de jazz Ella Fitzgerald. La jeune Vanessa Paradis, âgée d'à peine 16 ans, conquiert facilement le public avec son style timide et

---

1.   Interview France 3 Reims, 1987.

fragile. Après « Joe le taxi », elle cartonne en 1988 avec « Marilyn et John ». Sa façon de chanter en retrait touche largement. Mais alors, que faire pour conquérir la France et le public francophone ? Céline ne ressemble à aucune de ses concurrentes directes, ni dans le style vocal ni dans le look. Que faut-il pour que le public adhère définitivement à la surdouée québécoise ?

Toujours est-il que ce succès permet une première grande tournée d'envergure : 175 concerts de janvier à décembre 1988. De février à fin mars, elle pose ses valises au Théâtre St-Denis de Montréal pour une quarantaine de représentations.

Inauguré en 1916, ce théâtre québécois fut le premier au Canada à avoir une telle capacité d'accueil : 3000 spectateurs. Si, aujourd'hui, d'autres structures bien plus gigantesques ont vu le jour, le St-Denis, à la façade singulière, fait figure de lieu légendaire et de référence pour avoir accueilli de nombreuses stars de la variété mondiale (à l'image de l'Olympia de Paris). Ces cinq semaines permettent à Céline de mieux comprendre la scène, de l'habiter pleinement. Chose pas toujours aisée, au regard des critiques essuyées lors de ses premières prestations publiques. En effet, la différence entre tenir un concert d'une heure et demie, voire deux heures, et chanter en *live* cinq minutes sur un plateau de télévision est très grande. L'exercice nécessite une meilleure préparation physique et mentale tant les nerfs sont mis à rude épreuve. Souvent, la scène est déterminante. On peut avoir tout le talent du monde, si on ne s'impose pas sur scène, c'est quasiment la fin d'une carrière. C'est aussi l'occasion d'établir une relation plus directe avec son public. Des échanges commencent à se faire au fil des concerts, un style Céline Dion se dégage sur scène ; un lien se crée avec son public dont elle gagne l'affection. Elle maîtrise désormais cet aspect de son métier.

L'appréciation de la presse est, elle, très paradoxale. Certains adhèrent totalement et n'hésitent pas à la comparer aux plus grandes interprètes de l'histoire, d'autres n'accrochent pas et se montrent virulents à son égard. On ne peut pas plaire à tout le monde...

Un Euro-évènement

Un événement international assied un peu plus la notoriété de Céline Dion. Il s'agit de l'Eurovision. Ce concours européen de la chanson créé en 1956 a vu de nombreux vainqueurs faire une belle carrière par la suite. C'est le cas de France Gall qui, pour le Luxembourg en 1965, remporte la compétition avec « Poupée de cire, poupée de son » et révèle au passage son auteur-compositeur Serge Gainsbourg, jusque-là en échec artistique. En 1973, une autre Française remporte l'épreuve pour le Luxembourg. Il s'agit d'Anne-Marie David avec le titre « Tu te reconnaîtras », produit par CBS Disques sous la direction artistique de Jean-Jacques Souplet. Un an plus tard, le groupe ABBA explose en gagnant la compétition avec le tube « Waterloo ».

L'Eurovision ? Ça ne faisait pas vraiment partie des projets que René avait envisagés pour sa surdouée. À vrai dire, ce concours n'a pas tellement d'impact sur le sol américain et Céline vient de faire un énorme succès avec « Incognito ». Quelque temps plus tôt, le comité de sélection suisse sollicite René. Il y a longtemps que le pays n'a pas remporté l'Eurovision et il voit en Céline Dion la

« challengeuse » parfaite. Et pour cause, elle est à l'aube d'une conquête planétaire. René accepte le défi et présente son artiste dans la présélection suisse en se disant qu'une participation à ce prestigieux concours sera de toute façon un tremplin. La chanson à interpréter s'intitule « Ne partez pas sans moi ». Elle est écrite par Nella Martinetti, une parolière locale grâce à qui la Suisse a fini deuxième du concours en 1986.

La première étape consiste à être choisie par les télés-pectateurs au sein de la présélection. Celle-ci est diffusée à la télévision en direct du théâtre de Beausobre, à Morges, en février 1988. Sur 250 candidats, Céline fait figure d'excep-tion et d'attraction aussi bien à cause de sa nationalité que de sa voix. Ce soir-là, elle ne fait pas dans la demi-mesure : Céline chante et donne toute l'étendue de son talent. Elle conquiert avec brio le public suisse qui la désigne candidate pour le grand concours de l'Eurovision.

Le 30 avril, elle se présente à Dublin, en Irlande, pour la 33e édition du concours. Attila Sereftug, compositeur de la chanson « Ne partez pas sans moi », est à la direction de l'or-chestre. La prestation de Céline tient toutes ses promesses tant la chanson est entraînante et permet à l'artiste québé-coise d'impressionner les 400 millions de téléspectateurs. Céline se lâche et c'est un vrai show qui s'opère, survolant le concours. La compétition est rude cette année-là et, fina-lement, un point la sépare de Scott Fitzgerald, représen-tant du Royaume-Uni. La victoire est courte, mais belle, et la Suisse remporte pour la seconde fois de son histoire le fameux concours.

Céline gagne une visibilité mondiale, mais aussi la gratitude de tout le peuple suisse. La chanson « Ne partez pas sans moi » figure sur la version française de l'album

« Incognito », mais son succès n'est pas celui que laissait présager la prestation scénique de l'artiste. C'est aussi sans doute cette prestation grand format qui a incité les producteurs américains à produire un album anglophone. Céline Dion est partout et écrase tout sur son passage.

Ce même soir, c'est une autre victoire que décroche Céline, plus personnelle et intime cette fois. Lorsqu'elle rentre à son hôtel accompagnée de son manager René Angélil, la jeune chanteuse lui fait sa « déclaration » sur le pas de porte de la chambre. Il n'y avait guère de mystère quant à ses sentiments pudiquement étouffés toutes ces années. Ce soir, la jeune diva se lance, elle n'a que 20 ans, il en a presque 50. René qui a pourtant divorcé en 1985 de sa seconde épouse, la chanteuse Anne Renée, se montre réticent. Il craint bien sûr la réaction de Thérèse Dion, qui lui a confié sa plus jeune enfant quelques années auparavant. Une confiance précieuse qu'il ne veut pas mettre à mal. Mais « le cœur a ses raisons que la raison ignore » et René lâche prise. Il se laisse envoûter par sa protégée.

Quelques jours plus tard, la nouvelle relation sentimentale arrive aux oreilles de Maman Dion. Sa colère ne se fait pas attendre : elle accuse René de l'avoir trahie. Aussi, elle ordonne à sa fille aînée Claudette, marraine de Céline, d'aller parler à sa filleule pour en savoir plus et la convaincre d'arrêter tant qu'il est encore temps.

Claudette fait valoir à Céline le cliché absurde de cette relation sentimentale manager-artiste, mais Céline n'en démord pas et enfonce le clou en affirmant qu'elle est profondément amoureuse de René depuis des années.

Ainsi, le clan Dion doit admettre l'évidence de cet amour et l'accepter. Sachant, à plus forte raison, que les enfants de René, Patrick l'aîné en tête, ne sont pas surpris tant il était évident pour eux que cet amour se concrétiserait un jour. Un amour au départ platonique qui se voyait comme le nez au milieu de la figure.

Il faut du temps au temps pour accepter l'évolution des choses. Céline la petite fille a bien grandi et est devenue une femme amoureuse.

Au printemps 1989, elle est invitée à l'édition suivante de l'Eurovision, comme tenante du titre. Elle ouvre le show avec la chanson gagnante, puis offre aux téléspectateurs une exclusivité mondiale, son premier single en anglais, « Where Does My Heart Beat Now ».

Vous les nouveaux poètes
Vous les oiseaux magiques
Vous, vous allez peut-être trouver
De nouvelles musiques
Vous, donnez-moi ma chance
Je veux chanter moi aussi

Le rêve américain

David Foster est un auteur et producteur américain. Comme auteur, il obtient un beau succès en 1979 avec la chanson « After the Love Has Gone », écrite pour le groupe disco-funk Earth, Wine and Fire. Ce tube lui vaut un Grammy Award et une notoriété dans le métier qui lui offre tous les possibles. Producteur renommé ayant également collaboré avec Barbra Streisand, il voit sa carrière connaître l'apothéose lorsqu'il travaille avec Whitney Houston pour le film *Bodyguard* en 1992, avec Kevin Costner, acteur sex-symbol de l'époque. Cette production couronne l'ensemble de sa carrière, mais le producteur ne s'arrête pas là pour autant. C'est un *curriculum vitae* impressionnant comprenant ses productions avec Michael Jackson, Madonna, Mariah Carey ou encore Jennifer Lopez qui lui colle désormais à la peau.

C'est en 1990 qu'il décide de produire Céline Dion pour un album exclusivement anglais. Le challenge est de taille. Si la jeune artiste, âgée de 22 ans, vient de connaître un renouveau à travers son album « Incognito » et sa prestation à l'Eurovision, une carrière américaine reste à construire. Et pour bien faire, cette production prometteuse sur le papier nécessite une bonne année d'élaboration et de création. Un travail qui s'opère dans trois villes différentes : New York pour David Foster, Los Angeles avec Andy Goldmark qui a écrit pour Jermaine Jackson et l'a produit en 1984, puis Londres avec Christopher Neil, auteur-compositeur de renom, ayant mis son talent au service de Mike + The Mechanics ou Bonnie Tyler.

Un casting qui semble parfait pour accomplir ce projet de longue haleine et réaliser le rêve américain. Mais on a beau avoir les meilleurs producteurs musicaux et les bonnes chansons, cela ne suffit pas toujours pour convaincre le public. La musique n'est pas une science exacte, même pour René, joueur de poker invétéré, qui a tendance à s'appuyer sur des stratégies trop cartésiennes tout en oubliant que le public n'est pas acquis. La sortie de l'album confirme l'incertitude ambiante du show-business.

Le 2 avril 1990, l'album « Unison » est dans les bacs canadiens, quelques jours après la sortie du premier single « (If There Was) Any Other Way », comprenez « S'il y a d'autres possibilités ». Ce titre entre en 24e position des charts et ne produit pas l'effet escompté. L'album même entre en 55e position avant d'en sortir tout bonnement. Il va falloir s'armer de patience pour conquérir le marché américain et sans doute revoir la stratégie commerciale. La chanson a pourtant bénéficié exceptionnellement de deux clips, l'un pour le Canada, l'autre pour le reste du monde. Cela ne convainc pas. Il faut dire que la chanson ne reflète pas l'enthousiasme et le romantisme légendaires de l'œuvre portée par Céline Dion jusqu'à présent. Musicalement, cela colle parfaitement dans le cadre de l'époque. Une pop-variété à l'américaine, rythmée par un bon jeu de basse, des synthétiseurs qui ponctuent les mélodies et se chargent des solos, plus des chœurs en support. Peut-être trop classique justement, et rien d'original pour perturber la musique US. Il faut encore creuser pour innover et apporter sa différence.

Il faut dire qu'en 1990, il y a du beau monde qui domine les charts US : Phil Collins avec « Another Day in Paradise » s'installe définitivement en solo, UB40 avec « Kingston Town » remet le reggae au goût du jour quelques années après la disparition de Bob Marley. Elton John confirme son génie tout comme Madonna, et Sinead O'Connor signe le plus gros tube de sa carrière avec « Nothing Compares to You ». Whitney Houston avec « I'm Your Baby Tonight » se classe numéro 1 du Top de nombreuses semaines. La tâche apparaît donc comme vraiment plus complexe que prévu, tant la musique américaine est particulièrement bien représentée cette année-là. Mais après tout, autant entrer dans la bataille au milieu des plus grands...

Pendant ce temps, en France, son compatriote québécois Roch Voisine charme rapidement le public avec ton tube « Hélène ». Patrick Bruel triomphe avec ses tubes « Casser la voix » ou encore « Alors regarde ». Vanessa Paradis, elle, surfe sur le succès avec l'album-concept que lui a écrit et composé Serge Gainsbourg « Variations sur le même t'aime » qui comprend le tube « Tandem » et « Dis-lui toi que je t'aime ».

Le succès de ces jeunes artistes laisse songeur. Il bouscule les artistes bien établis depuis des années dans la variété française et les pousse à se remettre en cause.

Jean-Jacques Goldman crée un concept tout personnel en formant un trio avec son ami, le guitariste-compositeur Michael Jones, et celle qui fut longtemps sa choriste, Carole Fredericks. Après avoir remporté tous les succès en tant qu'artiste soliste et auteur-compositeur pour les autres, à travers l'album « Gang » écrit, composé et produit pour Johnny Hallyday, Goldman innove dans la manière de se réinventer publiquement. Sans doute aussi le plaisir d'être accompagné par deux proches amis et vivre une aventure singulière y sont pour quelque chose, car cette stratégie de carrière porte ses fruits commercialement : leur premier album « Fredericks, Goldman, Jones » se vend à plus d'un million d'exemplaires et est sacré disque de diamant.

Ainsi, vu le contexte, le deuxième single ne sortira pas avant le mois d'août 1990. « Unison », titre éponyme de l'album, ne touche pas plus les auditeurs. Pourtant, un événement au cours du mois de juillet 1990 semble faire bouger les lignes : le congrès international de Sony Music (nouveau nom de CBS Disques) se tient au célèbre Château Frontenac, qui surplombe le fleuve Saint-Laurent et la ville de Québec. Lors du gala, Céline Dion chante « Where Does My Heart Beat Now » (traduisez « Où mon cœur bat-il maintenant ? »). La prestation subjugue les patrons américains de la maison de disques qui décident d'avancer la sortie de l'album à septembre. La chanson, originellement refusée par la chanteuse américaine Jennifer Rush, connue pour son succès de 1985 « The Power of Love », trouve là une interprète de premier rang. À l'inverse, Céline et son équipe tiennent peut-être le titre qui trouvera le succès au pays de l'oncle Sam.

C'est en novembre 1990 que la chanson « Where Does My Heart Beat Now » sort aux USA et partout dans le monde. Le succès est immédiat, notamment en France, en Norvège, aux Pays-Bas, en Irlande et aux États-Unis. Les ventes de l'album sont relancées, pour ne pas dire lancées tout court. Ce slow romantique porté par des synthétiseurs produit ses effets et Céline commence à apparaître dans les médias américains. Sa notoriété prend une telle ampleur qu'elle est l'invitée du célèbre *Tonight Show* présenté par Jay Leno. Diffusée sur la chaîne NBC, c'est l'émission la plus ancienne et la plus populaire des États-Unis.

Pour parfaire ce succès, Céline Dion reçoit plusieurs récompenses. La première lui revient des mains de sa sœur et marraine Claudette lors des Félix, au Québec, en 1990. Un prix intitulé « meilleur artiste anglophone » qui la choque. Elle refuse de recevoir cette récompense et propose de la renommer en « artistes québécois s'étant le plus illustré sur le plan international ».

En 1991, c'est aux prix Juno, pendant canadien des Félix, que l'artiste rafle deux prix : « album de l'année », « artiste féminine de l'année ». L'album se voit sept fois disque de platine avec plus de 700 000 copies écoulées au Canada. En France, pour 100 000 exemplaires vendus, il est sacré disque d'or, ainsi qu'aux États-Unis, où l'on atteint des ventes de 1,2 million.

Where does my heart beat now ?
Where is the sound
That only echoes through the night ?
Where does my heart beat now ?
I can't live without
Without feeling it inside
Where do all the lonely hearts go ?

À l'automne 1990, Céline commence une nouvelle tournée, intitulée *Unison Tour*, sous les meilleurs auspices. Malheureusement, un événement va mettre un coup d'arrêt à cette ascension prodigieuse. Le 13 octobre, à Sherbrooke, en plein milieu du concert, la star québécoise a une extinction de voix subite qui la coupe dans son élan.

Quelques années après, elle revient sur cet incident de parcours lors d'une interview où elle exprime le malaise qui l'envahit à cet instant :

— J'avais tellement honte de moi. Le monde se déplace pour t'entendre chanter, il paye pour ça et tu n'es même pas capable de chanter ! J'avais vraiment honte[1].

Elle a d'abord le souci du public plus que du sien et, pourtant, l'heure est grave. La voix lâche totalement et René est terrifié. Céline est défaite et pense que c'est la fin de l'histoire. C'est sans espoir qu'elle consulte le docteur William Gould, réputé comme étant le plus grand ORL spécialiste des cordes vocales et connu pour avoir soigné dans le temps Frank Sinatra ou Luciano Pavarotti. Le médecin, après avoir diagnostiqué des nodules sur les cordes vocales, lui propose deux solutions : une opération des cordes vocales au risque de changer sa tessiture originelle, ou bien s'abste-

---

1. Extrait de l'interview documentaire *Céline Dion plus qu'un destin*.

nir de parler pendant plusieurs semaines. Céline opte sans hésiter pour la seconde solution et se met même à apprendre les bases du langage des signes. Une nouvelle fois, elle fait preuve d'une rigueur, d'une détermination, d'une force de caractère exemplaires face à l'adversité, une volonté de ne jamais renoncer qui ne la quitteront jamais.

4

La conquête
de l'Amérique

A lors que tout s'assombrit en quelques secondes, l'optimisme semble être la posture adoptée pour vite se remettre en selle et reprendre le cours de son destin. Après s'être tue totalement pendant trois semaines, Céline est vocalement rééduquée par le docteur William Riley. Le traitement semble avoir été efficace puisque l'interprète québécoise n'a rien perdu ni de son grain ni de sa puissance.

Après quelques semaines au vert, elle revient encore plus solide qu'avant. Elle qui depuis l'enfance a consacré sa vie et toute son énergie à la chanson, elle qui depuis 1983 a enchaîné les représentations et les albums, elle doit tirer les conséquences de cet accident de parcours. Désormais, elle sait que, de temps à autre, ses cordes vocales ont besoin de repos.

En mars 1991, elle reprend sa tournée *Unison Tour* et part à la conquête du Canada anglophone : Toronto, Vancouver,

Calgary, elle écume les petits théâtres, pour un total de 75 concerts entre octobre 1990 et mai 1991.

Pendant ce temps, son single « Where Does My Heart Beat Now » est un immense tube. Il se trouve classé numéro 4 du Billboard Hot 100.

Enfin, la notoriété arrive. Si elle n'est pas encore la star mondiale, elle fait tranquillement sa place au milieu de géants. Il reste encore du travail à accomplir pour gagner les étoiles.

Deux derniers singles de l'album « Unison » sortent : « The Last to Know » (« Le dernier ou la dernière à être au courant ») au printemps. Une ballade lente, bien rythmée, dans la même veine musicale que les précédentes. Des arrangements aux synthétiseurs et des chœurs. Sans être un tube, cette chanson obtient un succès d'estime qui contribue à l'ascension de l'artiste québécoise aux États-Unis. Ensuite, « Have a Heart » au mois d'août vient clore la belle aventure « Unison » et promet une belle suite pour l'artiste.

La voix de la Belle

En cette année 1991, c'est un projet d'envergure qui est proposé à Céline, celui de donner sa voix et son image au monde magique de Disney. Depuis des décennies, Walt Disney Pictures inonde le public enfantin de ses chefs-d'œuvre. *Mary Poppins*, *Blanche-Neige et les Sept Nains*, *Alice au pays des merveilles*, on ne compte plus les films animés qui ont bercé notre enfance. Se voir offrir un rôle prépondérant dans le prochain film d'animation Disney est un rêve, un honneur pour la jeune chanteuse de 23 ans.

Ainsi, on offre à Céline d'être l'interprète de la chanson-thème du film *La Belle et la Bête*.

Ce conte légendaire a été adapté de nombreuses fois au cinéma. La plus illustre en France est sans doute celle réalisée par Jean Cocteau, avec Jean Marais dans le rôle de la Bête. La plus ancienne adaptation remonte à 1899 par les frères Pathé. Lorsque Walt Disney Pictures s'attaque à ce conte, il ne fait aucun doute que le succès sera au rendez-vous. De plus, c'est la première fois que la superproduction décide de créer et utiliser une chanson-thème.

Pourtant assurée de bénéficier d'une exposition maximale, Céline n'est pas enthousiaste. Elle garde le souvenir d'une mésaventure avec Steven Spielberg, quelque temps auparavant. Le célèbre réalisateur d'*E T* de la série *Indiana Jones* produit le film d'animation *Fievel au Far West*, l'histoire d'une souris qui embarque sa famille dans ses aventures. L'artiste américaine Linda Ronstadt avait interprété le générique du premier volet. C'est tout naturellement que Spielberg lui proposa l'interprétation du second volet, mais l'artiste refusa avant de se raviser. Entre-temps, le producteur-réalisateur avait proposé à Céline Dion de chanter le titre-thème, avant de l'écarter, pour rendre sa place à Linda Ronstadt. Un méli-mélo qui en dit long sur le show-business américain de ces années où il faut avoir les nerfs solides et faire le dos rond pour arriver à ses fins.

Échaudée, Céline se montre prudente, car elle craint de revivre la même mésaventure. Aussi, le projet en soi ne la séduit pas plus que cela. Elle voit *La Belle et la Bête* comme un pur dessin animé pour enfants et non comme un chef-d'œuvre grand public qui pourrait la propulser un peu plus sur le devant de la scène. René, lui, est convaincu de l'intérêt du projet et s'attelle à convaincre sa fiancée. Pour cela, le meilleur moyen est qu'elle visionne le film. René demande donc une projection privée aux producteurs. À la fin du film, Céline est émue aux larmes, emballée et heureuse d'être la chanteuse choisie pour la version anglaise.

La chanson est un duo avec l'artiste de rhythm and blues Peabo Bryson. Au départ, c'est Howard Ashman, habitué du genre pour avoir écrit les chansons des dessins animés *La Petite Sirène* et *Aladdin*, qui écrit la chanson avec son complice Alan Menken. Mais malade du sida, Ashman décède en cours de création. C'est l'auteur Tim Rice, également habitué des collaborations avec la maison Disney, qui reprend le travail en cours. La production de la chanson est assurée par Walter Afanasieff, connu pour avoir produit Mariah Carey.

Ever just the same
Ever a surprise
Ever as before
Ever just as sure
As the sun will rise

À la sortie du film, la chanson est un immense succès. Se classant deuxième des charts canadiens, elle atteint le Top 10 du Billboard Hot américain. Le succès est tel que le titre remporte l'année suivante l'Oscar de la meilleure chanson originale et le Golden Globe de la meilleure chanson originale ainsi qu'un Grammy Award. Lors de la 64e cérémonie des Oscars qui a lieu le 30 mars 1992 au Dorothy Chandler Pavilion de Los Angeles, Céline Dion, accompagnée de son duettiste Peabo Bryson ainsi que d'Angela Lansbury (la célèbre Jessica Fletcher de la série *Arabesque*), interprète la chanson. Une aventure immortalisée par un disque d'or et 500 000 copies vendues aux États-Unis. L'opération est une réussite. En outre, elle lui a permis de faire la rencontre de nouveaux collaborateurs qui, on le verra, recroiseront sa route...

L'étoile du « Berger »

Michel Berger, auteur-compositeur de renom et de génie, a marqué les esprits à la fin de l'année 1979 en composant l'opéra rock *Starmania*. D'ailleurs, le genre « opéra rock » n'existait pas avant lui. Écrite par le québécois Luc Plamondon, qui a su traduire les désirs artistiques de Berger les plus profonds, cette histoire futuriste et visionnaire, où les individus veulent devenir des stars, où le monde ne repose plus que sur le paraître et non l'être, a littéralement révolutionné son temps. De son casting initial, où figurent France Gall et Daniel Balavoine ainsi que les Québécois Diane Dufresne, Fabienne Thibeault et Claude Dubois, il a révélé au fil du temps de nouveaux artistes comme Maurane (en 1988).

Dès sa première au Palais des Congrès de Paris en avril 1979, Michel Berger a continuellement enrichi son œuvre, dans le but de l'exporter et de la diffuser plus largement à travers le monde. Après la version de 1988, il rêve que son *Starmania* soit joué à Broadway, quartier de New York avant-gardiste en matière de comédies musicales. En 1991, l'auteur Tim Rice accède à son désir et adapte *Starmania* en *Tycoon* pour le public américain. Il prévoit un casting de première classe comme Tom Jones, Cyndi Lauper ou encore Peter Kingsbery, devenu célèbre grâce à son groupe Cock Robin et leur tube « The Promise You Made ».

Tim Rice, qui a participé précédemment à l'aventure *Beauty and the Beast*, suggère que Céline Dion interprète « Ziggy ». Il a été impressionné par sa voix et trouve qu'elle serait l'interprète idéale pour cette version anglaise. À l'origine, la chanson « Ziggy » est interprétée, en 1978, par Fabienne Thibeault, compatriote de Céline.

En 1991, Michel Berger vient de bâtir le Studio Face B au 5, passage Geffroy-Didelot dans le XVIIe arrondissement de Paris. Véritable laboratoire de ses créations, c'est le lieu où la magie opère entre musiciens et artistes. Le lieu où les compositions prennent forme grâce au talent de ces artisans de la musique.

Serge Perathoner, claviériste de Michel Berger depuis une dizaine d'années, a participé à tous ses albums et tournées. Acteur discret, témoin de l'ombre, il me raconte leur première rencontre avec Céline Dion et son contexte :

— Michel voulait que *Starmania* ait une dimension internationale. Donc, Tim Rice a fait l'adaptation en anglais. Le projet *Tycoon* est une version disque des 16 tubes de *Starmania* chantés en anglais. Cyndi Lauper a voulu se charger des arrangements avec son équipe. C'était entendu avec Michel Berger. Tout le reste a été enregistré à Paris dans le studio que Michel venait d'ouvrir. Toute l'équipe de Michel était réunie, à savoir moi, Jannick Top à la basse, Denys Lable aux guitares, Claude Engel, Claude Salmieri à la batterie. On a fait toutes les rythmiques à Paris, et Michel les emmenait aux studios de New York ou Los Angeles. C'était un magnifique projet pour *Starmania* en anglais. Le premier single était « Le monde est stone », par Cyndi Lauper[1].

---

1. Entretien avec l'auteur, juillet 2019.

Puis vint le jour de septembre 1991 où la jeune chanteuse québécoise débarque dans le passage Geffroy-Didelot :

— On la connaissait déjà de l'Eurovision, explique Serge Perathoner. On savait que c'était quand même une grande chanteuse. Mais ce que je vois et entends ce jour-là, c'est quand même du lourd. J'ai vu une chanteuse extraordinaire avec des frissons et une simplicité de chanter. Elle est excellente musicienne par la voix. Là, on reprenait des chansons de *Starmania*, mais c'était nouveau. Cette force et son talent d'interprétation rendaient la chanson complètement nouvelle[1].

Serge Perathoner assiste en coulisse à la naissance d'une future légende, au quotidien d'une diva mondiale en devenir, mais qui garde ses valeurs, accompagnée de son talentueux manager :

— René, on sentait qu'il était vraiment très bon musicalement. Il savait ce qui lui allait ou pas. Je sentais que c'était du lourd et c'était évident pour tout le monde dans le studio. Elle est sincèrement formidable, sincèrement gentille, elle ne joue pas, elle est foncièrement gentille[2].

L'album retient la chanson « Ziggy » qui ne sortira que plus tard. Si *Tycoon* ne voit finalement pas le jour en Amérique, il se joue à Paris au théâtre Mogador l'année suivante plusieurs semaines durant. La chanson « Only Very the Best » interprétée par Peter Kingsbery sera un tube tout comme « The World Is Stone » chanté par Cyndi Lauper.

En attendant, ces séances de travail impressionnent René et Céline. À partir de là, un nouveau projet voit le jour, une nouvelle collaboration pour un album en français.

---

1. *Ibid.*
2. *Ibid.*

Michel Berger est l'auteur-compositeur le plus talentueux de sa génération. Il a précédemment produit et composé le plus gros succès de Johnny Hallyday, l'album « Rock'n'roll attitude » en 1985. Le voir produire un album pour Céline Dion serait peut-être la clé d'un renouveau en France et la base d'une meilleure implantation.

Serge Perathoner raconte cette période charnière :

— Céline Dion et René ont adoré notre façon de travailler, c'est-à-dire en groupe et non comme ils avaient l'habitude avant cela, c'est-à-dire où chaque musicien pose sa partie chacun son tour. Nous, c'était du *live* en studio. Céline chante et nous on construit le titre autour d'elle. Six mois plus tard, René eut l'idée de faire un nouvel album en français avec tous les textes de Plamondon. Il y avait quatre titres originaux, au départ chantés par Diane Dufresne, et quatre chansons de *Starmania*. On a fait ça en petit comité, avec le groupe de Michel Berger[1].

Serge Perathoner, témoin de l'ombre, aime à raconter ce souvenir :

— Quand on a fait l'album « Dion chante Plamondon », il n'y avait pas un gros budget, explique-t-il. J'avais été à Montréal faire toutes les préparations chez les parents Dion, dans le haut des Laurentides. On a passé toute une soirée à vérifier toutes les tonalités des chansons parce qu'on ne faisait pas de maquettes. Il y avait une chanson de Richard Cocciante, « L'amour existe encore », qu'elle ne voulait pas chanter, car elle n'y croyait pas. Luc et René m'ont demandé de la jouer au piano et que Céline la chante une dernière fois pour voir. Elle a commencé à chanter, à la fin de la chanson tout le monde pleurait : elle, moi au piano, Luc,

---

1. Entretien avec l'auteur, juillet 2019.

René, et même sa maman qui était dans la cuisine en train de préparer un ragoût, porte ouverte. Donc, la décision a été prise de l'enregistrer sur l'album. Dans toute ma vie musicale, c'est un moment immense, qui a duré quatre minutes, qui reste gravé à jamais. Parce que j'avais la plus grande chanteuse du monde, je peux le dire. Je l'accompagnais au piano en toute intimité[1].

Il observe aussi le tempérament affirmé de l'artiste québécoise :

— Quand bien même elle avait une grande confiance en René, et elle avait raison, car il était vraiment très bon dans les choix, Céline a toujours exprimé son opinion.

Autre anecdote étonnante révélée par le claviériste-producteur qui témoigne de la simplicité de la jeune femme :

— Au Studio Face B à Paris, René a demandé à ce qu'on mette des chœurs. Avec Michel, on était d'accord et on s'est dit naturellement qu'on appelait nos choristes. Mais Céline a dit : « Je veux bien faire des chœurs. » Donc, on a pris une choriste, Marina, et avec Céline, à deux, elles ont fait les chœurs. Céline était en cabine derrière le micro, moi, je l'ai dirigée, mais je l'ai dirigée comme une choriste. À cet instant, elle n'était plus la plus grande chanteuse du monde. C'était une choriste de métier, à part entière. Et là, autant avec Marina, qui est une choriste habituée, c'est allé vite, eh bien, avec Céline, c'est allé aussi rapidement, car elle est excellente musicienne. Je l'aurais bien reprise comme choriste (rires). C'est une excellente interprète, mais c'est aussi une excellente musicienne. Elle s'est amusée à faire ça[2].

Selon Perathoner :

---

1. *Ibid.*
2. *Ibid.*

— Elle chantait comme tout le monde devrait chanter. Sur les prises de voix, je me souviens, pendant l'enregistrement, deux prises et c'était en boîte. La prise était bonne dès la première fois. Céline, c'est une interprète. Fallait juste lui retirer de temps en temps les vocalises entre deux paroles. Michel n'aimait pas ça et Jean-Jacques les lui a fait retirer. Elle chante les notes[1].

L'album sort en France en avril 1992 et met un certain temps avant de devenir double disque de platine en se vendant à plus de 600 000 exemplaires. L'opération est réussie à tel point qu'il se classe même dans le Top 5 des ventes. Plus d'un million d'exemplaires vendus dans le monde, entre le Canada, la Belgique et les États-Unis. Sorti en novembre 1991 au Québec, il est certifié disque d'or dès le premier jour. En France, le premier single sorti « Je danse dans ma tête » n'a aucun succès et il faut patienter encore plusieurs mois avant qu'une sérieuse accroche se fasse.

Comme on l'a dit plus haut, le projet d'un nouvel album original est en route, Michel Berger comme le reste de son équipe ayant craqué pour la diva québécoise et réciproquement.

Serge Perathoner raconte :

— Suite à cet album, « Dion chante Plamondon », René Angélil et Céline étaient très contents de ce qui se passait en France. Ils avaient besoin d'une base en France. Avant, elle n'était pas suffisamment prête et René visait loin. Luc Plamondon était l'auteur historique de Diane Dufresne, elle était son interprète fétiche, puis après il y a eu Céline Dion[2].

Malheureusement, en août 1992, à Ramatuelle dans le Var, Michel Berger est victime d'une crise cardiaque en

---

1. *Ibid.*
2. Entretien avec l'auteur, juillet 2019.

pleine partie de tennis. Il ne s'en relève pas et décède tragiquement à 44 ans. Le monde de la chanson française est en deuil. Cette disparition subite avorte un projet ambitieux pour Céline Dion et René Angélil.

— Il y avait bien sûr le projet que Luc Plamondon et Michel Berger fassent tout un album original pour Céline Dion, révèle Serge Perathoner. Mais Michel décède en août 1992 et il fallait un nouveau compositeur. Luc était parolier et Michel compositeur. Je me souviens que Luc Plamondon m'avait dit : « Je sais qu'il y a Jean-Jacques Goldman qui va faire quelques titres pour le prochain album. » Mais Luc avait besoin de compositeurs, et Jean-Jacques Goldman est auteur-compositeur, donc, fatalement, il n'allait pas faire que trois titres sur un album, c'était tout l'album ou rien. Luc s'est trouvé vexé d'une part, puis un peu ennuyé parce qu'il croyait énormément en Céline et il n'avait pas tort ! Le projet était dans les tuyaux. Finalement, le succès de l'album « Dion chante Plamondon » l'a vraiment lancée sur Jean-Jacques Goldman... C'est donc tout naturellement que le projet d'un nouvel album en français sera confié entièrement à Jean-Jacques Goldman deux ans plus tard.

Serge Perathoner rencontrera fortuitement Céline une autre fois, des retrouvailles gravées à jamais dans sa mémoire tant la simplicité de la star le touchera :

— Je l'ai recroisée 10 ans après, pour *Notre-Dame de Paris*, pour lequel j'ai fait les réalisations. C'était en 1998, lors de l'avant-première. Lorsque René me croise, il me dit : « Viens voir Céline. » C'était une star mondiale, René se souvenait de tout. Je rêvais, comme un fan, de la rencontrer. Lorsqu'elle m'a vu, elle m'a embrassé comme du bon pain. Elle est restée la même, alors qu'à cette époque, c'était sans doute la meilleure chanteuse au monde, avec le succès de *Titanic*[1].

Poursuite du rêve américain

En attendant, entre le temps de deuil et la remise en route concrète d'un album francophone, Céline poursuit son ascension de l'autre côté de l'Atlantique. Un nouvel album anglophone sort en parallèle. Ce second opus doit confirmer les bons *a priori* nés du premier. Intitulé tout simplement « Céline Dion », il contient la chanson « Beauty and the Beast » tirée donc du dessin animé de Disney. Le succès de ce titre, évoqué précédemment, permet à l'artiste une jolie percée dans le paysage musical anglophone.

L'album, enregistré en grande partie à Morin-Heights, dans les Laurentides, est produit par une équipe réunie autour de Walter Afanasieff. Promu aux États-Unis sous le slogan flatteur de « Souvenez-vous du nom, parce que vous n'oublierez jamais la voix », l'album présente des sonorités soft-rock, pop, les arrangements résonnent sur la suite d'« Unison » avec beaucoup de synthétiseurs, quelques guitares électriques et des chœurs.

Plusieurs surprises apparaissent sur ce nouvel opus anglais. Des surprises faites pour installer définitivement l'artiste québécoise dans les charts US. Ainsi, on retrouve étonnamment la légende Prince, auteur de la chanson « With This Tear » qui ne sort toutefois pas en single.

Dans un autre registre, la parolière Diane Warren écrit cinq titres. Auteure pour de nombreuses divas comme Aretha Franklin, Mariah Carey, Whitney Houston, Cher et

---

1. *Ibid.*

plus tard Beyoncé et Rihanna, elle met sa plume au service de Céline, une évidence qui va payer.

La chanson « If You Asked Me To » (« Si tu me le demandais ») est lancée en deuxième single en avril 1992 et atteint la quatrième position du classement Billboard Hot 100. Ce slow bien rodé dans la même veine que les précédents suit la couleur musicale d'« Unison ». Originellement interprété par Patti Labelle en 1989, c'est le titre générique du film *Permis de tuer*, un *James Bond* joué par Timothy Dalton. Au Canada, il se classe numéro 1 et devient ainsi son tout premier single à atteindre la première place des charts. Il y reste trois semaines durant.

Le troisième single est la chanson « Nothing Broken But My Heart » (« Rien de cassé sauf mon cœur ») sorti en juillet 1992. Slow sentimental ressemblant à une suite de « If You Asked Me To », il conquiert les charts de la même façon et conforte un peu plus sa place au sommet : parmi les 30 premiers du Billboard Hot 100, et troisième au Canada.

En novembre 1992, le single « Love Can Move Mountains » (« L'amour peut déplacer les montagnes ») sort sur les ondes canadiennes et américaines. Écrite par Diane Warren, la chanson démarre par de jolis chœurs gospel avant qu'un bon rythme entraînant lance la musique. Les chœurs gospel sur cette chanson pop viennent ponctuer les refrains. Il y a du Michael Jackson là-dedans. Le clip réalisé par Jeb Brian et diffusé sur les chaînes musicales montre l'Amérique des années 1990, entre *fun*, tags artistiques, *skateboard*, danse, basket-ball et joie de vivre. Atteignant la seconde place des hits canadiens derrière Whitney Houston et son tube planétaire « I Will Always Love You », il est dans le Top 40 du Billboard Hot 100.

Le 20 janvier 1993, Céline Dion fera l'événement en chantant « Love Can Move Mountains » lors de l'investiture du nouveau président des États-Unis d'Amérique, Bill Clinton. La chanson remporte le prix Juno de la « meilleure chanson dance ».

Just a little faith
Just a little trust
If you believe in love
Love can move mountains
Believe in your heart
And feel, feel it in your soul
And love, baby, love can
Love can move mountains

En fin de compte, cet album fait un beau parcours puisqu'il se vend à plus de trois millions d'exemplaires aux États-Unis, est certifié double disque de platine, et s'écoule à plus d'un million au Canada, certifié disque de diamant.

Récompensée du World Music Award de « l'artiste canadienne de l'année 1992 », Céline reçoit le prix Juno de « l'artiste féminine de l'année 1993 », mais également les prix Félix de « l'artiste s'étant le plus illustré hors du Québec » et « l'artiste s'étant le plus illustré dans une autre langue que le français ».

À l'été 1992, les succès amène Céline Dion à faire une première tournée aux États-Unis. Elle débute en première partie de Michael Bolton dans le cadre de la tournée *Time, Love and Tenderness Tour*. Faire l'ouverture d'une star américaine ne fait qu'asseoir sa notoriété grandissante, d'autant qu'elle intervient même sur deux chansons.

Elle reprend la tête d'affiche en revenant au Canada, où elle inaugure le Théâtre du Capitole à Québec en 1992, puis le Forum de Montréal en 1993. De Toronto à Vancouver en passant par Ottawa, la star donne 75 spectacles qu'elle assure en véritable diva.

La vie la fragilise au printemps 1993 lorsque sa nièce Karine disparaît des suites de sa fibrose kystique. C'est le point de départ de son engagement pour des causes humanitaires. Outre de devenir marraine à vie (et René parrain) du CHU Sainte-Justine où sa nièce est décédée, elle devient marraine nationale de la Fondation canadienne contre la fibrose kystique. La diva prend le temps de l'émotion et fait une pause de quelques semaines. Elle reporte quelques dates et revient plus conquérante que jamais, portant le rêve qu'elle a donné à sa nièce, un ange désormais...

En juillet 1993, en France, la chanson « Ziggy », titrée « Un garçon pas comme les autres », tourne en boucle à la radio. L'histoire de cette fille désespérément amoureuse d'un garçon homosexuel devient rapidement un gros tube. Trônant à la seconde place du Top pendant sept semaines consécutives et quatre mois dans le Top 10, il se vend à plus de 360 000 exemplaires et est certifié disque d'or, devenant ainsi le plus grand succès de Céline Dion en France, 10 ans après « D'amour ou d'amitié ».

Fabienne Thibeault ne tarit pas d'éloges :

— Sur sa reprise de « Ziggy », elle la chante de façon magistrale. Absolument magnifique. C'est d'abord une personne qui a une oreille exceptionnelle, plus qu'exceptionnelle, c'est une oreille parfaite. Elle a appris l'anglais en « deux temps, trois mouvements », si je peux dire. Elle apprend les mélodies à l'oreille. [...] Céline, dans sa voix, elle a une fragilité dans la perfection qui la rend gracieuse, humaine. Il y a une telle maîtrise de sa part que ça ne craque jamais. [...] Elle s'amuse quand elle chante, et ça, j'aime. Il y a aussi de l'émotion où l'on pleure quand on l'écoute. Elle s'amuse dans le sens où il y a du jeu perpétuellement dans son chant, et ça, c'est beau[1].

Ce succès est évidemment à confirmer, ce que l'histoire se charge de faire de façon décuplée moins de deux ans après...

Ziggy, il s'appelle Ziggy
Je suis folle de lui
C'est un garçon pas comme les autres
Mais moi je l'aime, c'est pas d'ma faute
Même si je sais
Qu'il ne m'aimera jamais

Le sacre américain

« Battre le fer tant qu'il est chaud » semble être la devise de René Angélil et Céline Dion. Un troisième album anglophone voit le jour en novembre 1993. Il a été lancé en juin précédent par le standard de Victor Young et Edward Heyman datant de 1952, « When I Fall in Love », en duo avec Clive Griffin (chanson qui fut rendue célèbre par l'interprétation de Marilyn Monroe en 1953).

Cette nouvelle version sensuelle et romantique fait partie de la bande originale officielle du film *Nuits blanches à Seattle*, désormais classique du cinéma américain, dont

---

1. Entretien avec l'auteur, juillet 2019.

les deux rôles phares sont tenus par Tom Hanks et Meg Ryan. Interpréter un standard de la chanson US reste un excellent moyen de se rappeler au bon souvenir du public. Cela introduit l'album « The Colour of My Love » qui, outre la couleur de l'amour, annonce un sacre inattendu.

Les valeurs sûres de la variété américaine se portent toujours bien dans le Top des charts. Citons Bryan Adams avec « Please Forgive Me », Duran Duran avec « Ordinary World », Mariah Carey avec « Hero », Aerosmith et leur « Cryin' » et UB40 et leur reprise version reggae du standard « Fallin in Love with You », l'émergence de groupes comme les Ace of Base et leur dance music « All That She Want » ou Haddaway « What Is Love », la concurrence est de taille pour bien figurer et tenir la tête.

Six millions d'exemplaires vendus en un an. Rien que ça. Qui pouvait s'y attendre ? René sans doute, qui avait savamment tout préparé pour que ce sacre ait lieu à cet instant. Le second single, « The Power of Love », sort le 1er novembre, jour de la fête des défunts ! La chanson se classe directement numéro 1 du Billboard Hot 100 américain et y reste pendant quatre semaines d'affilée. Également numéro 1 au Canada et en Australie, il ne faut pas se tromper, là encore, sur la nature de l'œuvre : c'est la reprise d'un titre datant de 1984, écrit et interprété par Jennifer Rush. Succès international de l'année 1985, il se vend à l'époque à plus de 1,5 million d'exemplaires. Certes, la nouvelle version proposée par Céline Dion offre la fraîcheur de sa voix, la puissance de son interprétation, mais sur le succès déjà quasi acquis.

Comme sur l'album précédent, la production artistique est de Walter Afanasieff ainsi que David Foster, qui signe la chanson éponyme « The Colour of My Love ». On retrouve également la parolière Diane Warren qui signe quatre titres. Au-delà, le thème de l'album est l'amour et particulièrement la déclaration d'amour publique de Céline à René qui, toujours en retrait, orchestre depuis 1981 la carrière de la diva. La chanson-titre « The Colour of My Love » lui est dédiée. Cet aveu est révélé au public lors du lancement de l'album au Canada, dans la salle du Métropolis de Montréal (nommé aujourd'hui le M Telus) en début d'année 1994. La pochette même de l'album comporte une dédicace qui ne passe pas inaperçue puisqu'elle remercie René « la couleur de mon amour ». La pochette de l'album a de quoi embrouiller. Artistiquement, c'est réussi. Elle montre sous teinte sépia une Céline en pause sensuelle, posture confiante et assumée. Un regard mêlant la provocation et l'indifférence. Peut-être aussi la défiance après ces années de lutte...

Le 27 janvier 1994, Céline Dion fait sensation en apparaissant pour la première fois lors de l'émission caritative des Enfoirés au bénéfice des Restos du cœur fondés par Coluche en 1986. Sa prestation en duo avec Jean-Jacques Goldman sur le tube de ce dernier, « Là-bas », surprend, épate, éblouit le public et les téléspectateurs sans savoir un instant ce qui se trame en coulisse.

D'ailleurs, l'émerveillement n'émeut pas que le public, comme en témoigne Jean-Jacques Goldman plus tard :

— Quand j'ai chanté en duo « Là-bas » avec elle à Paris, pendant le spectacle *Les Enfoirés au Grand Rex*, je peux vous dire que pour les musiciens, c'était l'évidence : tous, qu'ils soient hard-rock ou autre, sont venus me voir après pour me dire : si elle cherche des musiciens, je suis prêt à payer chaque soir pour en être[1] !

---

1. Interview dans *La Presse*, 1ᵉʳ avril 1995.

Si cette apparition servait de test de popularité, c'est réussi. Le public français semble (enfin) conquis et prêt à l'écouter de nouveau...

Le troisième single de l'album, « The Colour of My Love », sort en avril 1994 : « Misled » est l'œuvre de Diane Warren, Peter Zizzo et Jimmy Bralower. Il remporte un bon succès commercial au Canada en se classant quatrième du Top, au Royaume-Uni, en trouvant une bonne 15ᵉ place et aux États-Unis avec une 23ᵉ position, mais cela reste limité. Constitué de pop dance déjà entendue, suffisamment bien produit pour être efficace et faire bonne figure dans les charts mondiaux, sans tout révolutionner.

Enfin, le quatrième single à être diffusé est la chanson « Think Twice » en juillet 1994. Écrite et composée par Andy Hill et Peter Sinfield, c'est une chanson lente, arrangée sur un fond de claviers ponctué de riff de guitares, empreinte de mélancolie. Étonnamment, elle ne marche pas aux États-Unis alors qu'elle devient un gros tube international. Elle bat même des records, comme au Royaume-Uni, où elle se vend à plus d'un million d'exemplaires et se classe numéro 1, permettant de devenir le quatrième single d'une artiste féminine à dépasser ce score. Elle se classe numéro 1 au Danemark, en Norvège, en Irlande, en Belgique, aux Pays-Bas et en Suède. Elle remporte grâce à cette chanson le prix Ivor Novello Award 1995, décerné à Londres par l'Académie des auteurs-compositeurs britanniques.

Don't say what you're about to say
Look back before you leave my life (don't leave my life)
Be sure before you close that door
Before you roll those dice
Baby think twice

La chanson « Think Twice » permet de relancer les ventes de l'album, pourtant déjà très bien écoulé. Ainsi, en 1995, ce sont 13 millions d'exemplaires qui sont vendus à travers le monde, consacrant Céline Dion en star mondiale. Quatre millions d'exemplaires vendus en Europe, dont 300 000 en France et certifié disque de platine, 1 million au Japon et 4 fois disque de platine, 1,9 million au Royaume-Uni et 4 fois disque de platine également, 1,8 million d'exemplaires sur ses terres canadiennes et un disque de diamant, et 6 millions aux États-Unis et certifié 6 fois disque de platine. Un sacre qui se formalise par des prix Juno et Félix de « l'artiste féminine de l'année 1994 », le prix Juno de « l'album de l'année 1995 » et le World Music Award de « l'artiste canadienne de l'année ».

Tout sourit à Céline Dion, et, pour asseoir cette starification mondiale, un album *live* est enregistré en septembre 1994 dans la salle mythique de l'Olympia, à Paris. Presque 10 ans après avoir fait les premières parties de Patrick Sébastien, elle revient en star pendant deux soirs de suite où elle chante ses plus grands succès anglais, mais aussi ses chansons françaises. Ainsi, elle interprète Luc Plamondon et Michel Berger, fait un clin d'œil hommage à Eddy Marnay, le père musical de ses débuts, et reprend « Calling You », célèbre générique du film *Bagdad Café*. Ce dernier sera le seul single de l'album à sortir fin décembre 1994, au lendemain d'un événement personnel et public à la fois. L'album *live* se vend à plus de deux millions d'exemplaires, dont un million en Europe. Deux cent mille exemplaires s'écoulent au Canada, et l'album est certifié disque de platine comme en France.

Le 17 décembre 1994 en la basilique Notre-Dame de Montréal, les paparazzis et les caméras des télés nationales captent l'événement de l'année. La petite surdouée de Charlemagne, âgée de 26 ans, se marie avec René Angélil, âgé de 55 ans. Digne des plus beaux mariages princiers (commentés par l'éternel Léon Zitrone), cet événement est diffusé en direct par la télévision québécoise. À l'extérieur, Céline porte un grand manteau de fourrure blanche, à l'intérieur, elle est vêtue d'une magnifique robe blanche et porte une coiffe de diamants sous son voile. Elle est radieuse et fière de son couple auquel personne ne croyait. René est superbe avec sa barbe blanche, son costume noir, sa classe méditerranéenne, son charisme naturel. Les deux amoureux auront les fêtes de fin d'année pour convoler et emménager dans une nouvelle maison, où les attend leur véritable nid d'amour.

5

Ça arrive
sans crier gare...

S ur la période qui a suivi son mariage célébré en
toute fin d'année 1994, Céline raconte :

— J'ai pas encore eu le temps de vraiment vivre mon
mariage, j'ai même pas fini de lire tout ce que nos invités ont
écrit dans notre livre d'or ! J'ai fait de la popote, du ménage,
l'épicerie… Je n'ai pas complètement arrêté parce que je ne
sais pas comment faire ça, des vacances, je ne suis pas habituée. Mais c'était le *fun*, notre nouvelle maison, la rénovation,
défaire les boîtes… C'est pas un château, là, c'est juste une
maison du Sud, notre petit nid d'amour, on est bien là[1]…

Au printemps 1995, une bourrasque musicale s'apprête
à déferler sur les ondes de l'Hexagone.

Le sacre français

En mars, le single « Pour que tu m'aimes encore » est
lancé sur les radios francophones. Personne ne se doutait

---

1.   Interview dans *La Presse*, 1er avril 1995.

de l'impact que cette chanson aurait. Pas même qui se cachait derrière ces paroles et cette musique : Jean-Jacques Goldman ! Sans doute le plus brillant auteur-compositeur de sa génération. Il s'est toujours défini comme un *song-maker* (traduisez « faiseur de chanson »). Après avoir écrit et composé pour Johnny Hallyday tout l'album « Gang » contenant les tubes « Je te promets », « L'envie », « Laura », « J'oublierai ton nom », l'artiste français a également colla-boré avec Patricia Kaas, Marc Lavoine, mais aussi le légen-daire Ray Charles. Attiré depuis toujours par les grandes voix, c'est tout naturellement qu'il en vient à composer pour Céline Dion.

Comme révélé dans le chapitre précédent, le nouveau projet d'album français était l'idée et le désir de Michel Berger et Luc Plamondon associés à René Angélil et Céline Dion. Une alchimie s'est produite lors des séances d'enregistrement des albums « Tycoon » et « Dion chante Plamondon » en 1991. Berger étant décédé, Jean-Jacques Goldman devient l'héritier logique du projet. Car à ce stade où Céline est désor-mais une star mondiale qui vend des millions de disques aux États-Unis et dans le monde, il s'agit maintenant d'acquérir le même statut en France. La jeune femme s'étonne même que ce ne soit toujours pas le cas :

— Je suis venue en France la première fois à 14 ans avec « D'amour ou d'amitié », et les gens me parlent encore de ça, constate-t-elle. À un moment donné, ça devient bien frustrant, parce que s'il y a un endroit où j'ai rêvé que ça marche, c'est ici ! Ça marche au Québec, en Angleterre, aux États-Unis… et ici, ça marche pas ! Il aura fallu que j'aie du succès aux États-Unis pour que ça fonctionne en France [1] !

---

1. Interview pour *Libération*, 20 mars 1995.

Pourtant habitué à être sollicité, il semble que, pour une fois, ce soit Goldman lui-même qui exprime le désir d'écrire tout l'album. Étonnant de sa part ?

Pas vraiment, selon Serge Perathoner :

— Je me mets à la place de Jean-Jacques qui est brillantissime, que je respecte autant que Berger. Goldman est un grand mélodiste, un grand auteur, un grand producteur, humainement, c'est un mec formidable, car j'ai aussi travaillé quelques fois avec lui. Quand il a une grande interprète comme Céline Dion la première fois, il tombe par terre, évidemment. Jean-Jacques a souvent été sollicité pour faire des chansons à d'autres. En 1994, Céline fait un Olympia, auquel j'assiste. Quand je croise Jean-Jacques, il me dit tout sourire : « Ça y est, c'est moi qui récupère le bébé. » Goldman a dans son équipe Erick Benzi, qui est un bon copain. Très bon claviériste arrangeur, il était pour Jean-Jacques ce que j'étais pour Michel Berger et ce qu'était Gérard Bikialo pour Francis Cabrel. Pour cet album, Jean-Jacques s'est littéralement lâché pour faire des mégatubes. Une interprète comme ça, ça inspire forcément. Ses textes racontent l'histoire de Céline, il a su écrire au plus juste[1].

L'artiste français n'a de cesse de répéter à qui le demande que pour lui « Céline Dion est l'une des cinq plus belles voix du monde », et de concéder :

— J'avais envie d'écrire des chansons pour Céline depuis très longtemps[2].

Un cadeau qu'on lui fait, donc ? Ou l'inverse ? Peu importe finalement, il suffit de deux entrevues entre les deux artistes pour que l'alchimie prenne et inspire notre auteur-compositeur.

---

1. Entretien avec l'auteur, juillet 2019.
2. Interview, *Le Soleil*, 1er avril 1995.

Goldman vient de terminer sa grande tournée *Fredericks, Goldman, Jones*, mais, véritable hyperactif, il n'a plus qu'une idée en tête : écrire et composer uniquement pour Céline Dion, au plus près de sa personnalité.

— Une fois que j'ai eu son accord, ça m'a pris sept mois... J'ai fait venir du Canada tout ce qui concernait Céline Dion : articles, livres, textes, interviews, émissions de télé ou de radio... J'ai appris sa vie sur documents[1].

La tâche n'est pas simple, la Québécoise se livre peu ; en interview, elle a tendance à utiliser des facéties pour se protéger, noyer le poisson, faire diversion. Pourtant, Jean-Jacques va réussir à percer sa nature profonde et créer des textes la reflétant au mieux.

Et de l'aveu de Céline :

— Il a réussi. C'est tellement bien de sentir que la personne a pris le temps de vous connaître, de vous étudier[2]...

Par la suite, Goldman soumet neuf maquettes de chansons à l'artiste. Elle revient à Paris une semaine pour y travailler, puis l'auteur français poursuit seul ce travail de laboratoire pendant près d'un mois.

Le travail évolue au fil des semaines et le projet initial se voit modifié, comme l'explique Goldman :

— Ça a évolué au fur et à mesure que je rentrais en contact avec elle par documents interposés. Au départ, je voulais faire un disque pour une grande chanteuse traditionnelle francophone, à la Édith Piaf. En travaillant, je me suis rendu compte qu'elle était une chanteuse de blues francophone, ce qui est assez rare, et même une chanteuse de

---

1. Interview, *Infomatin*, 1ᵉʳ avril 1995.
2. *Libération*, 20 mars 1995.

rhythm and blues. Donc, peu à peu, l'album a évolué. L'idée de départ a pas mal changé[1].

Le résultat impressionne son interprète qui découvre en bloc, au bout des sept mois de création, les chansons que Jean-Jacques Goldman lui a littéralement confectionnées sur mesure.

— J'étais curieuse, mais mon caractère implique que je dois me concentrer sur ce que je fais, alors, le revoir sept mois après avec toutes ces chansons fut une belle surprise. Je fais confiance, je l'avais bien senti... Je ne m'attendais pas alors à ce qu'il ait fait un tel travail[2]...

« Pour que tu m'aimes encore » est un tube planétaire et une vraie surprise pour son auteur qui ne mise pas vraiment sur elle pour conquérir les charts. Lorsqu'il s'est mis à écrire le texte, le thème était déjà défini :

— Je connaissais peu Céline, mais j'avais lu tout ce qu'elle disait dans les interviews, je voyais son caractère se dessiner peu à peu, et je savais que c'était quelqu'un d'extrêmement entier sur le plan amoureux, un peu classique, comme ça... Pour une jeune fille, je trouvais que c'était quelque chose qui lui était très particulier et donc j'ai eu envie d'écrire sur ce thème de l'amour absolu, de la fille qui ne zappe pas, qui ne rigole pas avec les sentiments amoureux, qui ne badine pas. « Pour que tu m'aimes encore » est arrivé après, avec les notes, puisqu'au début, c'est le thème, et puis les mots viennent avec les notes[3].

Le moment est venu de présenter son travail, pour la première fois, au studio parisien. Là, Céline et René ont une réaction inattendue sur ce titre. Ils sont émus au point

---

1. *Infomatin*, 1er avril 1995.
2. *Ibid.*
3. Interview, Radio France Bleu, octobre 1998.

qu'ils décident très vite que ce sera le premier single, voire le titre de l'album. Cette réaction est un peu étrange pour son auteur, car il y a mis autant de cœur que pour les 12 autres chansons. Il ne voit pas particulièrement quelque chose qui détonne dans cette chanson. Mais cela appartient désormais à Céline et René.

J'irai chercher ton cœur si tu l'emportes ailleurs
Même si dans tes danses d'autres dansent tes heures
J'irai chercher ton âme dans les froids, dans les flammes
Je te jetterai des sorts, pour que tu m'aimes encore
Pour que tu m'aimes encore

Le succès est fulgurant. Le single reste pendant trois mois consécutifs numéro 1 des ventes en France et quasi quatre mois numéro 1 en Belgique. Également numéro 1 au Québec, c'est la chanson française la plus diffusée en radio de l'année 1995. Le CD single se vend à plus de 1,75 million d'exemplaires dans le monde et reçoit en récompense le prix Félix de « la chanson de l'année » et en France la Victoire de la musique de « la chanson de l'année 1996 ». Succès tel que le clip est l'un des rares en langue française à être diffusé sur une chaîne de télévision américaine.

Zénith de Toulon, mai 1998, j'assiste à mon premier grand concert : *Jean-Jacques Goldman, Tournée 98 En passant*. Après deux heures de spectacle renversant, Jean-Jacques revient sur scène pour un dernier rappel.

— On en fait une dernière ensemble… annonce-t-il.

Il attaque à la guitare dans une ambiance intimiste cette ultime chanson d'au revoir pleine de sens : « J'ai compris tous les mots, j'ai bien compris, merci... »

Dès les premières paroles, une étrange sensation circule. L'air est connu, mais pas avec lui... Il reprend : « Pour que tu m'aimes encore. » Son génie d'auteur l'amène à modifier et adapter certains vers comme « plus brillante et plus belle » en « plus vibrant qu'un poème » ou bien le refrain où il s'adresse directement au public, employant le vouvoiement : « J'irai chercher vos âmes dans le froid dans les flammes, je vous jetterai des sorts, pour que l'on m'aime encore... » L'instant est rare, le public le sait et savoure, tel un cadeau que l'artiste nous offre en chantant ce qui est son plus beau succès créé à ce jour, interprété par lui-même.

L'album « D'eux » sort dans les bacs le 27 mars 1995. Céline Dion raconte l'idée du titre qui résume l'alchimie qui s'est produite pour réaliser l'œuvre :

— Au départ, l'album devait s'appeler « Pour que tu m'aimes encore » (premier extrait et vidéo du disque). C'était correct... mais c'était pas ça. Quelqu'un, je ne sais pas qui, a eu l'idée de « D'eux ». Moi, je trouvais cela rafraîchissant, avoir un titre qui n'a pas de rapport direct avec les *tounes* de l'album, mais qui le représente bien : c'est le talent de Jean-Jacques avec, sans prétention, ce que je peux, moi, donner. Ça vient « D'eux », de nous deux, ces deux *twits*-là[1].

Pour Jean-Jacques Goldman, l'écriture n'a pu exister que grâce au personnage qu'est Céline :

— Ça aurait été difficile d'écrire si j'avais eu affaire à quelqu'un qui existe peu. Mais ce n'est pas le cas de Céline. Sa vie n'est pas artificielle. C'est une fille, une femme et une drôle. Il y avait donc beaucoup à dire, sur sa vie amou-

---

1. Interview, *La Presse*, 1er avril 1995.

reuse, sur sa violence, plus exactement la violence de ses sentiments[1].

Les premières observations et les premières critiques portent sur la variété des chansons. Il est vrai que ça part un peu dans tous les sens, sur tous les styles. De la variété au blues, du slow au rock, il y en a pour tous les goûts. Cela fait partie des belles surprises de la création, après tout. Goldman lui-même le concède :

— Je n'avais pas du tout l'idée de faire des musiques variées au début, pas du tout. Pour moi, Céline était une grande chanteuse traditionnelle. Quelque part entre Édith Piaf et Barbra Streisand. Donc, pas du côté de la musique qui swingue ! C'est en la rencontrant, puis en la regardant à la télévision chanter « River Deep Mountain High[2] » que je me suis rendu compte que Céline est une chanteuse francophone qui swingue.

Et encore :

— C'est un tel calibre technique... Elle peut chanter n'importe quoi. Ce qui lui paraît très simple est impossible à d'autres... Elle a une technique impressionnante, et un énorme feeling. Au départ, il y a un bagage technique – et je dis le mot en le pesant – hallucinant, extrêmement rare... Reconnu par le monde entier, d'ailleurs : Aretha Franklin a fait un duo avec elle. Toutes les stars en rêvent[3]...

Ceux qui critiquent cherchent la petite bête, l'ombre au tableau qui pourrait ternir cette réussite. Ne leur en déplaise, Goldman a fait le job et au-delà, et ce succès incontestable marque l'avènement de l'artiste québécoise en France et son assise à l'international. Il observe :

---

1. *Ibid.*
2. Lors de sa participation au *David Letterman Show*.
3. *Infomatin*, 3 avril 1995.

— Céline Dion enregistre des disques depuis longtemps, sans en vendre aucun ou presque en France, et tout d'un coup l'album que j'ai écrit pour elle dépasse le million d'exemplaires ; c'est comme si je lui avais donné la clé d'entrée vis-à-vis des médias, qui fait que le public peut enfin entrer en contact avec elle... L'artistique n'explique pas tout. Étant donné l'importance de la voix de Céline Dion, car c'est une vraie chanteuse pas une diseuse de textes, la qualité de l'album n'explique pas ce passage brutal de rien à tout. Elle chantait déjà aussi bien[1].

Céline Dion reconnaît la justesse des textes qui lui collent à la peau :

— « D'eux », c'est vraiment moi à cet instant !

Mais Goldman ne se cantonne pas à de la simple création de chansons. Producteur artistique de l'album, comme avec Johnny Hallyday en 1986, il dirige la chanteuse vocalement afin d'obtenir, pour chaque titre, le résultat le plus juste. Et cette direction artistique apporte un plus à Céline, quelque part une progression dans la technique vocale qui porte ses fruits. La franchise de Jean-Jacques Goldman, la rigueur de Céline Dion qui a une confiance totale en son nouveau producteur mènent aux sommets.

Goldman explique :

— Je lui ai dit : je suis extrêmement ému par ta voix, extrêmement intéressé par elle, mais il faut que tu saches qu'il y a des choses que je n'aime pas du tout. Je ne peux pas te parler du marché américain, mais de ce que je sais du public français, il y a des choses qui sont impossibles dans ta façon de chanter pour un auditeur français. Elle a tout de suite accepté parce qu'elle est ouverte. Je pensais que cela

---

1. Interview, *Le Soleil*, avril 1995.

allait être un gros travail, ce sont après tout des habitudes qu'elle a depuis 15 ans. Au bout d'une seule chanson, je n'ai plus eu à lui dire de ne pas faire ci, de ne pas faire ça ! Elle m'a beaucoup impressionné[1] !

En juillet 1995, un deuxième single est lancé : « Je sais pas ». C'est une chanson d'amour. L'artiste clame qu'elle peut tout subir dans la vie, toutes les épreuves lui sont surmontables, sauf de vivre sans son amour. Une belle déclaration sur fond de claviers et de chœurs qui tarde à démarrer. Témoin de l'ombre, Christophe Nègre est un saxophoniste français de renom. Il a entrepris sa carrière dans les années 1980 avec Julie Pietri et Philippe Lavil, puis intègre l'équipe de Michel Berger dans la production de la comédie musicale *La légende de Jimmy* en 1990. Après la disparition de Michel Berger, il est recruté par Jean-Jacques Goldman, qui a sur lui un *a priori* positif :

— Jean-Jacques admirait Michel Berger, donc, forcément, venant de chez Michel Berger, je ne devais pas être trop mauvais, me dit-il. Je passe une audition via Jacky Mascarel, qui était son claviériste. À la fin du test, Jean-Jacques me dit : « On n'a pas vraiment besoin de saxo sur la tournée, mais pour la bonne humeur générale, je t'emmène avec moi[2].

Christophe Nègre se retrouve ainsi à jouer pendant 10 ans aux côtés de Jean-Jacques Goldman avant sa retraite en 2002. Il se souvient de l'enregistrement de l'album « D'eux ».

— Jean-Jacques faisait des maquettes qu'il nous envoyait quelque temps avant. Une fois en studio, il comptait sur notre imagination pour faire vivre le morceau, l'em-

---

1. *La Presse*, avril 1995.
2. Entretien avec l'auteur, juillet 2019.

bellir, etc. Donc, il y avait un peu d'improvisation de notre part à nous, les musiciens, mais sur des bases solides[1].

Christophe est fier d'apparaître sur le deuxième single phare de l'album, la chanson « Je sais pas », écrite et composée par J Kapler, alias Robert Goldman, le frère, et Jean-Jacques Goldman.

— Jean-Jacques m'a donc laissé libre du solo et ça s'est fait en une prise. J'en suis fier, car je me suis lâché à ma façon[2].

La chanson est un succès moindre que « Pour que tu m'aimes encore », mais la barre avait été placée au-delà des nuages. Elle reste néanmoins sept semaines consécutives numéro 1 du Top en France et en Belgique.

Christophe Nègre ne doute pas une seconde du succès de l'album :

— Tout ce que touchait Jean-Jacques à l'époque se transformait en or ! Je savais le succès que ça aurait en France, et pas étonné de l'étranger finalement[3].

Depuis, Christophe Nègre a poursuivi sa route, participant à la première tournée des Vieilles Canailles, aux adieux d'Eddy Mitchell et de Michel Sardou entre autres.

Il faut attendre le début d'année 1996 pour entendre un nouveau single de l'album « D'eux ». Par stratégie ? Peut-être, car à l'automne 1995, une déferlante brit-pop arrive sur la France et partout dans le monde avec la chanson « Wonderwall » du groupe Oasis. Cela ouvre la voie à ce genre musical venu d'outre-Manche, et le succès est tel qu'il laisse peu de place.

1. *Ibid.*
2. *Ibid.*
3. *Ibid.*

Du côté de la variété française, Gérald De Palmas débarque avec sa ballade blues-folk « J'étais sur la route » et Pascal Obispo envahit les radios avec sa déclaration d'amour au bassin d'Arcachon, « Tombé pour elle ». Enfin, Francis Cabrel sort sa chanson « La corrida », mais n'oublie pas pour autant son thème de prédilection, commun avec Céline Dion, l'amour, avec « Je t'aimais, je t'aime et je t'aimerai ». Janvier 1996, donc, « Le ballet » est diffusé sur les radios françaises. Un blues « goldmanien » excellent qui débute par une introduction de guitares très travaillée et rythmée. La voix de Céline attaque de façon douce et chaude. Guitares électriques en *slide* et harmonica qui ponctue certains couplets et refrains. La production parfaite.

Plus sensible et émouvante, la chanson « Vole » est un hommage à Karine, la nièce de Céline décédée en 1993. Jean-Jacques Goldman a su traduire ce qui se trouve au plus profond de son interprète. Céline Dion y voit une suite à la chanson « Mélanie », écrite par Eddy Marnay 10 ans plus tôt. C'était risqué de se lancer sur ce sujet à la fois intime et fragile, mais Goldman réussit avec tact et délicatesse.

Le dernier extrait à être diffusé publiquement est le formidable duo entre Céline Dion et Jean-Jacques Goldman « J'irai où tu iras ». Une chanson d'amour très rock dont le texte fait de belles références à la culture québécoise.

Chez moi les forêts se balancent
Et les toits grattent le ciel
Les eaux des torrents sont violence
Et les neiges sont éternelles
Chez moi les loups sont à nos portes
Et tous les enfants les comprennent

On entend les cris de New York
Et les bateaux sur la Seine

Après avoir tenu la première place du classement en France, en Suisse, en Belgique et aux Pays-Bas, l'album « D'eux » réalise le score épatant de 4,4 millions d'exemplaires vendus en France et est certifié disque de diamant. C'est l'album français qui s'est le plus vendu alors. Il s'écoule en tout à plus de 10 millions d'exemplaires à travers le monde, dont 300 000 copies aux États-Unis et 700 000 au Canada. S'ajoute à cela une pléiade de récompenses, à commencer par le prix Félix de « l'album pop-rock de l'année » bizarrement. S'ensuit en 1996 du prix Félix de « l'album de l'année », du World Music Award de « l'artiste canadienne de l'année », du Midem de « l'album ayant dépassé les quatre millions de ventes », d'un double prix Juno « meilleur album de l'année » et « meilleur album francophone de l'année ». Enfin, à titre plus personnel, Céline Dion reçoit le prix Félix de « l'artiste féminine de l'année », ainsi qu'en France d'« artiste de l'année ».

Pour Pascal Evans :

— La collaboration avec Jean-Jacques Goldman est et restera le plus important tournant de sa carrière. Elle lui doit énormément. L'aura de JJG, son approche du métier, ses valeurs en font quelqu'un de distinctif dans l'industrie. Autant en France qu'aux États-Unis. Il n'y a pas (selon moi) de comparatif. Le très *rough and tough* et redouté critique musical de feu Musique Plus (qui vient de disparaître) a donné un 10 sur 10 au premier album du duo Dion-Goldman. C'est dire l'impact que cet album a eu au Québec et dans la francophonie. C'est presque l'album parfait. Comment faire mieux après ça ? L'album « D'eux » est plus qu'un album, c'est un point de référence. Le Graal. Jean-Jacques Goldman est d'ailleurs, encore aujourd'hui, un mystère absolu. Il y a un son Goldman qui n'existe même pas aux États-Unis. C'est un artiste universel. La collaboration entre Céline Dion et Jean-Jacques Goldman est assurément le meilleur *move* de René Angélil et Céline Dion. C'est également un *move* qui rend Céline dépendante de Goldman, dont les collaborations avec d'autres artistes sont nombreuses. Faire mieux que « D'eux » est une question qui est apparue presque aussitôt que l'album est apparu. Comment faire mieux ? Comment faire un album qui soit aussi rassembleur ? En ce qui me concerne et d'un point de vue très personnel, je crois que c'est impossible à l'heure actuelle. Un auteur-compositeur-interprète détient, peut-être, l'antidote, mais il ne semble pas être une option pour l'entourage de Céline Dion. L'artiste authentique, Gérald De Palmas a ce potentiel. Céline a chanté une version anglaise d'un hit de cet artiste. Il semble avoir ce petit quelque chose qui fait le pont entre nos deux cultures. Céline Dion a tenté de faire des albums en français de la trempe de « D'eux » en faisant appel à des écrivains et écrivaines francophones, mais ça n'a pas fonctionné. « D'eux » n'est pas un album intellectuel, c'est un album organique et foncièrement authentique et qui ne peut être reproduit comme on reproduit, aujourd'hui, un produit. « D'eux », c'est l'album d'une rencontre entre deux authenticités, deux unicités. Ça, c'est précieux et en même temps, pour une interprète, un énorme danger ou du moins un grand défi. Tout n'est pas qu'argent et tendance. Avec René Angélil, Céline Dion avait un pygmalion, un mari, le père de ses enfants, un meilleur ami, un double. Jean-Jacques Goldman est au-delà. C'est un artiste authentique comme Céline Dion. Les exemples de duos mythiques sont innombrables dans le répertoire anglophone. Céline Dion et Jean-Jacques Goldman sont peut-être l'équivalent francophone toutes catégories confondues[1].

La petite fille de Charlemagne a fait du chemin, au point d'impressionner même ceux qui croyaient en elle quelques années auparavant. À preuve, Luc Plamondon déclare :

— Elle est rendue à un stade où il lui faut des choses démesurées. Je rêve de lui écrire des chansons que je suis peut-être incapable d'écrire[2].

Et pourtant, à en croire René, ce n'est que le début. L'homme de l'ombre, le mari, le manager valide ainsi ses propres compétences stratégiques :

— Les choses spectaculaires ne font que commencer[3].

La tournée qui fête le succès de « D'eux » se déroule de fin septembre 1995 à début février 1996. C'est la première tournée importante en Europe. Elle sillonne 11 pays, où Céline remplit des grandes salles de 6000 à 16 000 places. La Québécoise termine sa tournée à Bruxelles, après quatre Bercy et cinq Zénith de Paris, et un détour par le beau Capitole de Québec.

Back in USA

Pendant que le succès de l'album « D'eux » suit son cours, René Angélil et Céline ne veulent pas perdre le fil américain. Ainsi, depuis quelques mois déjà, un nouvel album est en gestation. En espérant que le succès « D'eux » ait des répercussions positives sur la popularité de Céline et

---

1. Entretien avec l'auteur, août 2019.
2. *L'actualité*, 1er janvier 1996.
3. *Ibid.*

que le public français adhère désormais à ses albums, qu'ils soient chantés en français ou en anglais.

« The Colour of My Love » a dépassé les espérances, battu des records et placé la barre très haut. Tellement haut que pour revenir trois ans après, le challenge s'annonce de taille : Céline est attendue au tournant. Certes, l'album « D'eux », avec Jean-Jacques Goldman, a créé la sensation, mais René ne mélange pas tout. Il tient à ce que Céline garde un standing outre-Atlantique, et au-delà, il est persuadé qu'encore et toujours, ils peuvent mieux faire, grimper plus haut. René a ce goût du challenge, celui de repousser les limites et de surprendre.

Pour aborder un nouvel opus en anglais, René songe au producteur Phil Spector. Né en 1939 dans le Bronx, à New York, il est un producteur musical historique pour avoir produit le légendaire album des Beatles « Let it Be » en 1970, mais on lui doit également le tube planétaire et désormais universel de John Lennon « Imagine » et tout l'album éponyme. Il est le créateur d'une nouvelle technique d'enregistrement innovante appelée le « mur du son », consistant à enregistrer plusieurs pistes d'un même instrument afin de donner de l'amplitude et de la richesse au morceau. Cela porte ses fruits et produit un son authentique que l'on reconnaît dès les premières secondes. Cette technique a influencé plusieurs groupes dans les années 1970, à commencer par les Beatles qu'il produit donc, mais aussi les Beach Boys.

En 1989, son travail et son talent sont consacrés puisqu'il a l'honneur d'entrer au célèbre Rock'n'Roll Hall of Fame comme l'un de plus grands producteurs de l'histoire. Réputé et talentueux certes, Phil Spector a ses travers. L'alcool et la drogue n'y sont pas étrangers : lors de « phases psycho-tiques », il apparaît comme quelqu'un d'ingérable, voire totalement déjanté. Céline et René en font malheureusement les frais. Jean-Jacques Goldman avait eu ce tempérament de bienveillance envers Céline dans la direction artistique, mais aussi d'ouverture d'esprit et d'écoute. Ce n'est pas le cas de Spector.

Le succès lui est monté à la tête, il ne tolère ni remarque ni suggestion créative. Pour lui, qui se pense désormais légende intouchable, le travail en équipe semble avoir fait son temps. Ainsi, les séances d'enregistrement se passent mal, très mal. Une ambiance lourde règne dans le studio. Un jour, ayant eu vent de ce qui se passait, un délégué de Sony décide de venir sur place pour constater la situation et peut-être raisonner Spector. Mais c'est mal connaître l'homme qui, porté par l'alcool et les « substances », semble ne plus toucher terre. L'entrevue se termine mal, tant et si bien que Spector part dans une colère de tous les diables, jusqu'à menacer de mort le délégué de la maison de disques.

C'est la goutte d'eau (ou devrait-on dire d'alcool) qui fait déborder le vase. À bout de patience, René décide de mettre fin sur-le-champ à leur collaboration. Le travail produit jusque-là restera dans les tiroirs du studio et ne sera jamais diffusé. En quittant les studios, Phil Spector aurait lâché cette phrase qui en dit long :

— On n'apprend pas à Mozart à faire de la musique.

Spector ne fera quasiment plus jamais de production musicale, à quelques exceptions rares, et ses errances auront raison de lui[1]...

---

1.   Il est condamné en 2009 pour le meurtre de l'actrice Lana Clarkson en 2003 et purge 19 ans de prison incompressibles.

Tout est à recommencer. Et pourquoi changer une équipe qui gagne ? C'est tout naturellement que l'équipe historique vient au secours de la diva québécoise. David Foster en producteur en chef, Aldo Nova, Ric Wake et Humberto Gatica se mobilisent pour réaliser ce qui devient l'album « Falling into You ». Sur cet album figurent trois « Goldman » adaptés en anglais. Une façon de promouvoir le succès « D'eux » sur le territoire américain. Il s'agit de « Pour que tu m'aimes encore » traduit en « If That's What It Takes », « Je sais pas » en « I Don't Know » et « Vole » en « Fly ». Aucun « d'eux » ne sort en single pour autant. La production mise sur du produit pur US.

« Falling into You », premier single de l'album éponyme choisi pour l'Europe, sort en février 1996. Écrite par Diane Warren, cette chanson romantique sur une musique aux arrangements « exotiques » n'est pas un raz-de-marée, mais elle se place dans tous les charts. En Espagne, elle est directement numéro 1 et en France, elle accroche péniblement une 11e place. Par contre, le premier single choisi pour l'Amérique, « Because You Loved Me », est un immense succès et pour cause : il est le titre générique du film *Personnel et confidentiel* avec Robert Redford et Michelle Pfeiffer dans les rôles principaux. Classé dans les charts américains numéro 1 pendant six semaines, il en est de même au Canada, où il prend la première position d'entrée. Au Royaume-Uni, il entre directement dans le Top 10 et atteint la cinquième place rapidement. Ce succès est couronné par un Grammy Award et une nomination aux Oscars en 1997. Céline Dion l'interprète même en *live* à l'occasion de ces deux cérémonies, avant une autre cérémonie mondiale, qui, nous le verrons bientôt, va l'asseoir sur le toit du monde...

Il n'empêche que dès sa sortie, l'album « Falling into You » se classe numéro 1 dans de nombreux pays. En France, il se vend à plus de 100 000 exemplaires et termine sa course avec plus d'un million d'exemplaires écoulés et un beau disque de diamant. Aux États-Unis, il se vend à plus de 12 millions d'exemplaires et reste toute une année dans le Top 10 du Billboard. Au Canada, même engouement pour cet opus anglais. Il se vend à plus de 1,1 million de copies et est certifié disque de diamant. Au Royaume-Uni, il détrône les frères Gallagher et l'album d'Oasis « (What's the Story) Morning Glory ? » et débute en première position. Il est certifié quelques mois plus tard sept fois disque de platine et 2,3 millions de copies sont écoulées.

Pour promouvoir ce succès international, la tournée *Falling into You Tour* est mondiale. Débutant en Australie en mars 1996, elle passe par les États-Unis, l'Asie, le Canada et bien sûr l'Europe, en se produisant dans des stades devant des publics de 30 000 à 70 000 spectateurs. René avait promis que ce n'était que le début des festivités, il avait raison.

La « Dion Mania » n'a pas de frontières. Il aura fallu 15 ans de travail acharné pour réaliser les ambitions de Thérèse Dion et René Angélil. Quinze années crescendo où la petite surdouée n'a cessé de progresser et d'évoluer sans jamais perdre le cap.

Le 19 juillet 1996, les Jeux olympiques fêtent leur centenaire à Atlanta, aux États-Unis. La cérémonie au Stade olympique offre un spectacle exceptionnel. Refondés en 1894 par le Baron Pierre de Coubertin, les Jeux olympiques sont la compétition sportive la plus prestigieuse au monde, le but de tout sportif de haut niveau. Ce soir-là, devant un public de 100 000 personnes et quelque 3,5 milliards de téléspectateurs à travers le monde, Céline Dion monte sur scène. Invitée par le Comité international olympique, elle chante « The Power of the Dream », morceau écrit et composé pour l'événement par David Foster et Kenneth Edmonds. Un succès en *live* dont l'ampleur prend tout son sens : Céline Dion est alors la plus grande voix mondiale. Dans sa générosité viscérale de Québécoise, elle décide de reverser le cachet de sa prestation, augmentée d'une somme personnelle, à l'équipe canadienne olympique afin de soutenir les athlètes de son pays. Si la vie la mène de New York, à Los Angeles ou Paris, elle n'oublie pas son pays et garde la feuille d'érable rouge au cœur.

Quelques jours après cet événement mondial, un nouveau single est diffusé. Il s'agit de « It's All Coming Back to Me Now ». Écrit et composé par Jim Steinman, qui a également fait le tube de Bonnie Tyler « Total Eclipse of the Heart » en 1983, il est le deuxième extrait de l'album au Canada et aux États-Unis. C'est un gros succès qui se classe numéro 1 au Canada et numéro 2 du Billboard Hot 100.

En cet été 1996, c'est la fameuse « Macarena » qui fait un carton mondial, notamment aux États-Unis, classée numéro 1 plusieurs semaines durant. Malgré tout, « All Coming Back to Me Now » reste un tube référence pour son auteur et son interprète, qui se classe dans de nombreux Top 10 en Europe, comme au Royaume-Uni.

Le troisième extrait de l'album à être diffusé est une reprise d'Eric Carmen datant de 1975 : « All by Myself ». Cette chanson a la particularité d'emprunter son thème musical au « Concerto pour piano numéro 2 » de Serguei Rachmaninov. Carmen avait réalisé une belle performance avec la vente de 500 000 copies et une certification disque d'or. Céline Dion en a fait un véritable standard. Numéro 1 au Canada, numéro 4 au Billboard Hot, le single se vend également à plus de 500 000 copies. Céline a remis au goût du jour cette chanson qui depuis, grâce à sa reprise, a trouvé plusieurs interprètes à travers le monde.

When I was young
I never needed anyone
And making love was just for fun
Those days are gone
Livin' alone
I think of all the friends I've known
But when I dial the telephone
Nobody's home

En cette année 1996, Céline Dion domine la planète musique et devient l'artiste qui a vendu le plus de disques dans le monde avec plus de 25 millions d'exemplaires. Pour fêter cette ascension, un album *live* sort dans les bacs en octobre 1996 : « Live à Paris ». Enregistré au Zénith de Paris l'année précédente lors de la tournée *D'eux*, la chanson « Les derniers seront les premiers » est le single de promotion. Mais voilà qu'une petite polémique enfle à l'écoute de ce titre. En effet, il présente de fortes similitudes avec la musique d'un autre tube de la rentrée 1996 : « Aïcha », interprété par Khaled. Et pour cause, l'auteur des deux chansons est le même : Jean-Jacques Goldman !

Il n'est donc pas question de plagiat à cet instant, puisque le père des deux œuvres est le même. Mais plus de question « morale » quant à la reproduction de deux mêmes musiques pour deux artistes différents. L'intéressé répondra quelques années plus tard :

— Quand on entend du Michel Berger, on sait que c'est Michel Berger. Quand on entend du Gainsbourg, on sait que c'est Gainsbourg. Je ne cite que les morts pour ne pas avoir de problèmes...

C'est une manière d'expliquer à son sens que l'univers d'un auteur-compositeur a une couleur reconnaissable quel que soit l'interprète. Son intention n'était pas de repiquer honteusement l'une sur l'autre. D'ailleurs, les deux chansons ne racontent pas la même histoire : « Aïcha » est une déclaration d'amour, « Les derniers seront les premiers » porte sur la tolérance et l'espoir. La polémique retombe comme un soufflé et « l'homme en or » est pardonné.

« Live à Paris » poursuit l'ascension de la diva québécoise puisqu'il se vend à plus de trois millions d'exemplaires à travers le monde. Six cent mille exemplaires en France, où il trône à la tête du Top pendant deux mois et est certifié disque de platine. Si, au Canada, il n'est que huitième du classement, il est certifié double disque de platine et se voit récompensé l'année d'après par le prix Félix de « l'album pop-rock 1997 » et « album de l'année ». Il reçoit également le prix Juno du « meilleur album francophone de l'année ».

Le 1er novembre 1996, Céline Dion inscrit un nouveau record à son actif : elle est la première artiste à avoir trois albums dans le Top 20 : Simultanément, « Live à Paris » est premier, « Falling into You » est à la sixième place et l'album « D'eux » est quant à lui à la 16e place plus d'un an et demi après sa sortie. Une performance inouïe qu'aucun n'aurait prévue, même les plus grands spécialistes de l'industrie musicale. Un résultat enviable dont rêverait plus d'un patron de maison de disques.

Après avoir atteint les sommets, va-t-elle s'arrêter en si bon chemin ? Sa spontanéité lui a permis de franchir les étapes les unes après les autres tout en relativisant les enjeux qui se présentaient. Bonne démarche, tant le show-business peut se montrer virulent lorsque la gloire vous échappe. René la protège et gère le business en fin stratège, afin que sa belle n'ait rien d'autre à penser que le chant.

Les derniers seront les premiers
Dans l'autre réalité
Nous serons princes d'éternité

6

Sur le toit
du monde

Rien ne résiste à Céline Dion, désormais diva suprême de la variété mondiale. Et elle ne compte pas s'arrêter là. L'année 1997 est donc consacrée à l'extravagante tournée mondiale jusqu'en juin où elle clôture par la Suisse. Puis elle passe l'été à tourner dans les stades européens. Un triomphe à la mesure de son succès.

Pendant ce temps, le monde de la musique voit débarquer d'outre-Manche une nouvelle mode, illustrée par les Spice Girls, un groupe de quatre jeunes femmes constituant un *girls band*. Aussi inattendues qu'inouïes, ces filles bouleversent les programmateurs radio de l'époque avec leur tube « Wannabe ». La chanson devient rapidement numéro 1 dans une trentaine de pays et se vend à plus de sept millions d'exemplaires, un record qui s'inscrit dans l'histoire mondiale de la chanson. Ce succès devient un phénomène de société qui passionne les foules de Londres à Paris en passant par New York.

De quoi donner des idées aux patrons de maisons de disques françaises qui lancent en deux temps, trois mouvements toute une flopée de *boys bands*. Ces groupes éphémères constitués de beaux garçons musclés séduisent le public féminin et brouillent les pistes des charts pendant plusieurs mois. 2Be3, Alliage, World's Apart, etc., le coup commercial est parfaitement réalisé, mais, fort heureusement, ne perdure pas. Il laisse derrière lui quelques mélodies populaires et des paroles légères, qui sont loin d'avoir été inspirées par Baudelaire...

Durant cette parenthèse, quelques « vrais » artistes arrivent tout de même à exister au milieu de ce mirage et se hisser dans les sommets des charts. L'arrivée en France de l'Italien Andrea Bocelli vulgarise l'opéra avec son hit « Con te partiro ». Quelque temps plus tard, il sort un duo avec la chanteuse française Hélène Ségara, encore inconnue du grand public, « Vivo per leï », qui reste un beau standard des chansons romantiques. Cette année-là, Pascal Obispo sort « Lucie », sans doute son plus gros tube. Une chanson musicalement arrangée autour d'un piano seul, qui prend à contre-pied les tendances de l'époque. Nouvel artiste en vogue, Obispo offre dans la foulée à Florent Pagny le titre « Savoir Aimer », dont il compose la musique. Cette chanson, désormais standard de la chanson française ayant pour thème l'amour universel, reste neuf semaines consécutives numéro 1 du Top en France. Céline est absente, d'autres occupent la place et c'est très bien. Les records sont faits pour être battus et les genres musicaux pour être renouvelés.

Mais voilà que Céline a lancé les chanteuses « à voix » (terme propre aux observateurs français puisque dans la culture américaine et nord-américaine, les chanteurs ont toujours eu des « voix »). À l'hiver 1997, une jolie voix nous rappelle celle de Céline dans la tessiture : il s'agit de Lara Fabian. D'origine sicilienne, cette jeune Belge de 27 ans est partie, à 20 ans, se former et chercher le succès au Québec ; elle fait son retour en Europe. Elle est inconnue en France, le public pense voir des similitudes avec Céline Dion et même son influence. Il n'en est pourtant rien, car la Belge a déjà de longues années de carrière derrière elle et des albums à succès au Québec. Quant à son rapport à Céline Dion, elles se sont croisées lors de... l'Eurovision de 1988. Lara, candidate du Luxembourg, y prenait une belle quatrième place, tandis que Céline, on le sait, remportait le concours. Deux destins croisés assez étonnants. Pour l'heure, Lara Fabian conquiert brillamment le public français et européen avec sa chanson « Tout » et dans la foulée son tube « Je t'aime » qui est son plus grand succès aujourd'hui encore.

« Parlons d'amour... »

En attendant le retour de la surdouée québécoise, les commentateurs spéculent sur ce que pourrait être son prochain album. On sait qu'il se trame des choses ici et là, et quelques bruits de couloir se font l'écho de collaborations prestigieuses... La galette devrait encore surprendre. Les fans d'abord, les critiques ensuite, car elle est désormais dans le collimateur des censeurs que son talent et sa réussite dérangent.

Il faut attendre l'automne pour entendre un nouveau single. « Tell him », qui sort le 3 novembre 1997, est un duo avec la diva américaine Barbra Streisand, un duo de rêve pour les fans et les amateurs de musique. C'est un véritable événement musical qui annonce bien des surprises. Barbra

Streisand est l'une des artistes qui ont le plus influencé Céline depuis son plus jeune âge. Si l'élève a depuis dépassé la maîtresse, jusqu'à pulvériser les records mondiaux, elle reste humble et admirative de la femme.

— Je me suis toujours considérée comme quelqu'un de positif, pensant que les rêves peuvent devenir réalité, confie-t-elle. Quand j'ai rencontré David (Foster), je savais qu'il la connaissait. Je lui ai dit qu'elle était mon idole, mon modèle depuis toujours, et j'ai 29 ans... Je suis complète-ment sincère. Elle est une actrice, elle chante, et elle est une femme exceptionnelle. Et pour moi, cette chanson, pouvoir être là, à côté d'elle et chanter avec elle, honnêtement... C'était incroyable parce que quand j'ai entendu sa voix, je me suis sentie tellement prête à chanter. Avant cela, rien que de l'entendre au téléphone m'a donné de la force. J'étais comme un animal en cage qui se dit : « OK elle m'a donné ce qui me manquait et maintenant laissez-moi chanter, je suis prête. » Elle me complète. Je l'aime beaucoup[1].

Bien avant que cette rencontre se fasse, David Foster avait parlé de la Québécoise à Streisand en 1986 en lui disant :

— C'est la prochaine « Barbra ».

Lorsque Céline Dion chante deux chansons lors de la cérémonie des Oscars 1997, Barbra Streisand remarque sa prestation sur son titre « I Finally Found Someone », composé par le Canadien Bryan Adams. Elle lui fait envoyer des fleurs quelques jours plus tard pour la féliciter et suggérer qu'elles chantent un jour ensemble. Ainsi, David Foster, qui fut d'abord le producteur musical de Streisand

---

1. *Making of « Tell of him »*, 1997.

avant Dion, joue les intermédiaires et crée la chanson qui va les réunir.

Quant à la naissance de la chanson, le producteur-compositeur a sollicité son épouse, la parolière et actrice Linda Thompson, pour écrire les mots propres qu'une femme peut éprouver.

— J'étais assis au piano, il y a quelques mois, je commençais à travailler sur une chanson. Walter a débarqué au studio et m'a aidé. On a appelé Linda et on lui a dit : « On a un truc pour toi, il nous faut des paroles, vite[1]. »

Concernant le texte, Linda Thompson voit les deux femmes comme fortes, tendres et attentionnées à la fois.

— Je ne voulais pas que ce soit une bagarre genre : tu m'as volé mon homme. Il fallait que ce soit juste une histoire d'amitié[2].

Malheureusement, la chanson ne sort pas aux États-Unis, car Sony estime ne pas être assez soutenu par les programmateurs radio nécessaires au lancement. Pourtant, c'est une affiche de rêve et le reste du monde ne s'y trompe pas : numéro 3 des charts en France, Belgique et Royaume-Uni, il se vend à près d'un million d'exemplaires partout dans le monde. De quoi voir la sortie du futur album avec confiance tant il regorge de pépites inattendues...

Fin novembre, l'album « Let's Talk About Love » sort dans les bacs. Première chose étonnante, la chanson-titre de l'album « Let's Talk About Love », traduisez « Parlons d'amour », est une reprise adaptée de la chanson de Jean-Jacques Goldman « Puisque tu pars ». Cette chanson datant de 1988 parle dans sa version originale du départ, de la séparation. Celle de Céline Dion est adaptée par

---

1. *Ibid.*
2. *Ibid.*

Bryan Adams, artiste canadien à la voix éraillée et rauque (devenu mondialement célèbre pour avoir chanté la bande originale du film *Robin des bois, prince des voleurs* avec Kevin Costner). Il en fait une ballade poétique et parle d'amour universel à travers le monde. On en oublie la chanson de Goldman et on se laisse volontiers bercer par cette version.

Dès sa sortie, l'album est un énorme succès. Se vendant à plus de 10 millions d'exemplaires en un mois, il finit par enregistrer 31 millions de copies et devient l'album le plus vendu de la carrière de l'artiste. Pour ainsi dire, les Américains qui avaient boudé quelque peu le premier single se sont arraché celui-ci à 10,75 millions de copies ! En France, c'est 1,2 million d'exemplaires qui se vendent et une certification disque de diamant en prime. Le public français a définitivement adopté la diva et adhère pleinement à ses disques.

Début décembre, le single « The Reason » est lancé. Il est l'œuvre de Carole King, auteure-compositrice et interprète issue des années 1970. Elle a connu la gloire avec sa chanson « You've Got a Friend » en 1971. Cette chanson eut un double succès puisque le légendaire *folk singer* James Taylor l'enregistre et le sort dans la même année. La chanson « The Reason » devait même être le titre de l'album, mais des problèmes de droits d'auteur l'ont empêché.

Sur ce titre, la production musicale est assurée par un ténor du métier : sir George Martin. Légendaire producteur des Beatles de 1962 à 1970, il est longtemps considéré comme le cinquième Beatle, tant son talent et sa créativité se cachent derrière de nombreux « classiques » du groupe de Liverpool. Citons « All You Need Is Love » ou « I Am the Walrus ».

Atteint de surdité, ce vieux routard souhaite désormais prendre sa retraite, mais faire un dernier coup. Surdité ? C'est assez hallucinant quand on entend la chanson. L'oreille musicale est bien là et sir George Martin étale encore tout son génie créatif sur ce morceau.

Toutefois, exceptionnellement, cette chanson ne sort pas en France. Elle est placée en second titre d'un single qui bat tous les records : « My Heart Will Go On ». Chanson-générique de la superproduction américaine *Titanic* réalisée par James Cameron, loin de prendre l'eau et de s'enfoncer dans les profondeurs, elle décolle au contraire pour s'inscrire dans le patrimoine mondial de la musique. Derrière cette chanson majestueuse se trouve l'illustre compositeur James Horner, à qui l'on doit les bandes originales des films *Braveheart* de et avec Mel Gibson, *Apollo 13* de Ron Howard ou encore *Jumanji* avec le regretté Robin Williams, tous trois sortis en 1995. Les paroles sont, quant à elles, signées Will Jennings, primé d'un Grammy Award en 1993 et d'un Golden Globe pour les paroles de la chanson « Tears of Heaven » interprétée par Eric Clapton.

Au départ, Céline ne veut pas de cette chanson. Elle a déjà chanté des chansons-génériques, on l'a vu avec « La Belle et la Bête » pour Disney. Cette expérience a été un bon tremplin et a apporté le succès populaire espéré pour s'inscrire dans le paysage musical américain. Cette fois-ci, Céline est la plus grande diva mondiale. Elle estime ne pas avoir nécessairement besoin de ce genre d'opération marketing et voit plutôt ce projet comme un coup de publicité éphémère et dérisoire. Mais René sait la convaincre. Cinéphile, et fort averti de la mégaproduction qui se prépare en toute discrétion, il est persuadé que le film sera un immense succès ; de plus, la réputation du réalisateur

James Cameron et du compositeur James Horner n'est plus à faire. Pour René, il ne faut pas refuser cette proposition, mais au contraire entrer dans ce projet et apporter son talent. Il a saisi l'importance, à venir, de ce film, et être de la bande originale serait formidable, voire flatteur. René sait flairer les bonnes opportunités... Quelques années plus tard, Céline se souvient précisément de ce moment où le doute et le trac l'animent :

— J'étais folle ! Je ne me sentais pas bien. J'avais des douleurs au ventre. J'avais mes trucs de fille... J'ai pris un café noir avec du sucre – ce que je ne fais jamais, car ça accélère mon vibrato. James Horner m'a expliqué de quoi parlait le film. Il m'a dit : « Pensez à ça et faites-le. » Je lui ai répondu de façon un peu sarcastique : « D'accord, merci. Merci beaucoup[1].

La popularité de la chanson écrase tout sur son passage, devenant l'une des chansons les plus diffusées en radio. Son single se vend à 18 millions d'exemplaires ! C'est le plus gros tube de Céline Dion à ce jour. Il faut dire que le film y est aussi pour beaucoup.

Le *Titanic* est à l'époque le plus grand paquebot au monde. Le 12 avril 1912, il quitte Southampton pour New York, avec 1800 passagers à bord. Le 14 avril, le puissant paquebot se déchire sur un iceberg et sombre en plein Atlantique nord.

Quatre-vingts ans plus tard, James Cameron, réalisateur canadien connu pour ses films *Terminator* avec Arnold Schwarzenegger en 1984 ou encore *Abyss* avec Ed Harris en 1989, ressuscite à l'image le gigantesque paquebot. Fort d'un budget de 200 millions de dollars, James Cameron,

---

1. Interview Radio Nostalgie.

méticuleux à l'excès, veut reconstituer à l'identique les décors intérieur et extérieur de l'époque, au détail près. Fasciné par le tragique naufrage du *Titanic*, il crée une histoire d'amour entre Rose, incarnée par Kate Winslet, une jeune femme de la bourgeoisie anglaise sur le point de se fiancer avec un homme d'affaires, et Jack Dawson, un artiste peintre vagabond, incarné par Leonardo DiCaprio.

Ce film décline à l'écran le mythe de l'amour tout-puissant, surmontant les classes sociales et gommant les différences. Il réveille aussi l'intérêt du public pour le drame du *Titanic* et porte Leonardo DiCaprio au rang de sex-symbol. Le succès mondial pulvérise tous les records du cinéma et de la musique : 20,7 millions d'entrées dans les salles de cinéma françaises, c'est plus de 2 milliards à travers le monde ! Il génère plus de 1,8 milliard de dollars de recettes. Un succès absolument sensationnel ayant pour base une tragédie réelle.

Du côté des récompenses, c'est un raz-de-marée. Le film remporte 11 Oscars, dont la « meilleure chanson originale », donc avec « My Heart Will Go On » interprétée par Céline Dion, qui se voit également décerner le Golden Globe Award de « meilleure chanson originale » de l'année 1998. Les Grammy Awards la consacrent « meilleure chanson de l'année », « meilleure chanson écrite pour un film » et Céline reçoit le Grammy de l'artiste de l'année. Un succès tel que l'artiste la chante encore aujourd'hui dans ses concerts, mais plus pour faire plaisir à son public que par passion de la chanson en elle-même :

— Je n'aimais pas beaucoup la chanson, avoue-t-elle. Et aujourd'hui, pas tellement plus. Sauf qu'elle a tellement pris une ampleur extraordinaire et les gens l'ont tellement adoptée qu'avant de chanter la chanson, je me dis « Pff... »

et quand le rideau s'ouvre, les gens se transforment. Ils sont tellement heureux de l'entendre que ça donne vie à la chanson[1].

Near, far, wherever you are
I believe that the heart does go on
Once more you open the door
And you're here in my heart
And my heart will go on and on

Après cette consécration magistrale, il faut attendre juin 1998 pour que la promotion de l'album « Let's Talk About Love » reprenne son cours. Un nouveau single passe sur les ondes : « Immortality »... Un duo … à quatre ! Un quatuor où Céline chante avec les frères Gibb, les Bee Gees. Trio mythique des années disco, il obtient la faveur populaire avec le slow « How Deep Is Your Love » en 1977, puis « Stay'in Alive », véritable tube référence en 1978 et « Night Fever » qui devient numéro un mondial la même année. Le trio n'a jamais cessé de sortir des albums et appartient depuis cette époque au patrimoine du disco.

Les Bee Gees expliquent simplement comment ce « duo » voit le jour :

— Nous avons écrit une chanson pour Céline Dion qui s'intitule « Immortality ». En fait, c'était un rêve qu'elle puisse chanter une de nos chansons un jour, et le rêve est devenu réalité[2] !

Leur chanson « Immortality » a en réalité été écrite deux ans auparavant, en 1996, pour le projet de comédie musicale *Saturday Night Fever*. En Europe, le single fait

---

1. *Purepeople*, 13 novembre 2013.
2. *Making of « Immortality ».*

sensation puisqu'il se classe dans plusieurs Top. En termes de ventes, il s'écoule à environ 850 000 exemplaires, dont 500 000 en Allemagne. En France, c'est un peu moins de 150 000 copies et la chanson se classe dans les 15 premiers du Top.

Après ce grand succès, qui tourne en boucle en alternance avec « My Heart Will Go On » tout l'été, c'est à la rentrée de septembre que du nouveau arrive sur les ondes. Le single confidentiel « When I Need You », traduisez « Quand j'ai besoin de toi », est une reprise. Titre écrit et composé par Albert Hammond et Carole Bayer Sager, il porte le nom d'un album d'Albert Hammond de 1976. Cet auteur-compositeur-interprète britannique est par ailleurs l'auteur de la chanson « hymne » des Jeux olympiques de Séoul en 1988, interprétée par Whitney Houston. Il a également composé le plus grand tube de la chanteuse belge Axelle Red, « Sensualité », sorti en 1993. Mais sa chanson « When I Need You » devient un véritable tube en 1977 avec l'interprétation de Leo Sayer et devient numéro 1 dans de nombreux charts du monde. Vingt ans plus tard, c'est David Foster qui a l'idée de cette reprise pour l'album « Let's Talk About Love ». Enregistrée aux studios Paramount, elle ne sort qu'au Brésil sous forme de single promotionnel, mais sans obtenir le moindre succès.

Le management de Céline Dion avait quelque peu anticipé l'opération et, d'ores et déjà, il mise sur un nouveau single pour le reste du monde. Il s'agit de « I Hate You Then I Love You », écrit par Tony Renis et interprété en duo avec le plus grand ténor italien, Luciano Pavarotti. On peut dire qu'en termes de surprise et de production, les limites ont largement été repoussées !

La chanson est encore une reprise adaptée. Originellement, c'est une chanson italienne intitulée « Grande, grande, grande » de Shirley Bassey, datant de 1972. Le parolier et producteur italien ne cache pas sa joie lors de l'enregistrement de sa chanson :

— C'était un rêve pour moi de voir cette chanson interprétée par deux voix de légende[1].

Il n'est pas si surprenant de voir la diva québécoise et le ténor italien réunis, car ils se sont rencontrés quelques années auparavant, mais pas lors d'un concert ni sur un plateau télévisé.

Pavarotti raconte :

— J'avais déjà rencontré Céline au cabinet médical de notre ORL. Le docteur m'avait dit : « Cette fille est déjà merveilleuse et elle deviendra très célèbre. » Et nous voilà aujourd'hui. Céline est très belle et est une magnifique chanteuse.

La chanson est interprétée pour la première fois en *live* pour un concert de charité organisé par Luciano Pavarotti au mois de juin 1998. Depuis 1992, ce célèbre concert annuel, *Pavarotti et ses amis*, réunit une scène historique par le prestige de ses invités. Le single, lui, ne trouvera pas les faveurs des critiques. Selon eux, la voix de Céline ne colle ni avec la chanson ni avec le ténor. Que voulez-vous, il faut bien trouver une petite ombre au tableau, mais ce duo a le mérite d'exister et d'être gravé.

L'album trouve finalement le même succès que le précédent « Falling into You » et s'écoule à 31 millions d'exemplaires dans le monde. Un merveilleux succès et un challenge

---

1. *Making of « I Hate You Then I Love You ».*

réussi avec brio. Céline « marche sur les eaux du monde » avant un retour en France attendu avec impatience. Dans l'intervalle, sa participation au concert de charité *Divas Live* ne passe pas inaperçue. Ce concert réunit uniquement des artistes féminines de prestige : Aretha Franklin, Mariah Carey, Shania Twain et Gloria Estefan. L'album *live* commercialisé remporte un bon succès, notamment en France avec 100 000 copies vendues et une certification or.

S'il suffisait d'aimer

C'est également en septembre 1998 que sort le nouveau single français de Céline Dion : « Zora sourit ». C'est une dédicace aux femmes algériennes. C'est surtout le premier titre d'un album-événement, écrit et composé par Jean-Jacques Goldman. Trois ans sont passés depuis « D'eux ». La diva s'est installée sur le toit du monde pour ne plus en redescendre. L'album « D'eux » l'avait consacrée aux yeux du public français et enfin enracinée dans les charts du pays. Après avoir bataillé une douzaine d'années et eu tant de mal à réussir en France, la voici de retour avec son auteur-compositeur porte-bonheur, Jean-Jacques Goldman. Lui-même est en pleine tournée des Zéniths pour la promotion de son album solo « En passant ». « Zora » est une introduction sympathique à ce qui va suivre. Le single se vend à environ 150 000 exemplaires. Le standing est respecté pour un retour.

L'album s'intitule « S'il suffisait d'aimer » et sort dans les bacs le 7 septembre 1998. En France, c'est l'événement musical de la rentrée et il va tenir sa promesse, celle de faire mieux que l'album « D'eux » ? Pas vraiment, selon son interprète :

— L'idée n'était pas de faire mieux, de sortir un « D'eux » bis, explique Céline Dion. On ne peut pas reproduire une première émotion, un premier baiser, une première expérience. « D'eux » est un souvenir unique et « S'il suffisait d'aimer », un autre moment qui m'a permis de vivre de très belles heures avec Jean-Jacques Goldman[1].

Elle reste prudente tant elle sait la pression qui pèse après l'ultra-réussite de l'album précédent. Car lorsqu'on a pulvérisé tous les records de vente en France, on est attendu au tournant de façon légitime.

À plus forte raison puisque Céline est, entre-temps, devenue la plus grande chanteuse du monde. De quoi effrayer ou intimider Jean-Jacques Goldman ? Non, pas selon ses déclarations :

— Le plus étrange était le premier album, car je n'avais de rapport qu'avec sa voix. Je ne connaissais pas sa person-nalité. Je m'attendais au pire, mais j'ai eu plutôt de bonnes surprises[2].

Et le *songmaker* d'expliquer la personnalité très facile de Céline Dion dans l'« intimité » des studios :

— Comme beaucoup de musiciens, Céline est très humble, affirme Goldman. Johnny Hallyday, par exemple, je commence des chansons avec lui et je le vois mal à l'aise. Je me demande ce qui se passe jusqu'à ce que je comprenne qu'il faut faire sortir du studio deux ou trois personnes qui l'intimident. Et il a 40 ans de métier ! Céline fait partie de ça. Elle n'a pas forcément peur, mais n'est pas sûre d'elle

---

1. Interview *Télé 7 jours Magazine*, décembre 1998.
2. *Télémoustique*, novembre 1998.

et reste extrêmement à l'écoute de ce qu'on lui dit. J'ai travaillé une fois avec Ray Charles. Je lui ai dit quelque chose et il me répond : « Non, c'est comme ça. » On se tait, évidemment. Céline n'a pas ces réactions[1].

Pour Céline, l'évidence de Goldman comme prête-plume à ses émotions ne fait aucun mystère :

— J'ai travaillé aux USA avec plusieurs auteurs proches de moi. En France, Jean-Jacques Goldman, en composant un album de A à Z, peut décliner toutes mes émotions. Je n'écris pas mes chansons. J'ai la chance de disposer d'un instrument : ma voix. Mais j'ai besoin d'aide[2].

Tout s'est donc déroulé au mieux puisque les deux artistes se connaissent bien, ils s'apprécient et se font confiance. Cela suffit-il à convaincre une nouvelle fois le public français ? Sans doute ; quand bien même un peu de réserve demeure encore envers Céline. Sa personnalité publique, l'image qu'elle dégage, sa spontanéité sont parfois déconcertantes aux yeux du public français,

Jean-Jacques Goldman exprime une théorie :

— Sur les disques français, je crois qu'il y a chez nous, francophones, un attachement aux mots et donc au personnage qui est fondamental et qui biaise le jugement. Plus qu'un malaise vis-à-vis de sa façon de chanter, il y a un malaise devant ce qu'elle est. Son personnage extraverti, tellement américain, finit par irriter. Ce que je peux comprendre, qu'on la connaisse ou pas, d'ailleurs. On finit par avoir du mal à la croire quand elle chante. Dans une chanson, il y a la musique, le texte, les arrangements, la voix, mais aussi l'image de l'interprète. Michel Jonasz dit

---

1. *Ibid.*
2. *Télé 7 jours Magazine*, décembre 1998.

10 fois de suite « Je veux pas que tu t'en ailles » et on est bouleversé. Avec le même texte, un autre nous semblera ridicule, ou simplement pas crédible[1].

Le 23 novembre, la chanson éponyme de l'album « S'il suffisait d'aimer » est diffusée. C'est une belle chanson d'amour universel, arrangée autour d'un piano seul et quelques cordes. Numéro 4 du Top en France, il se vend plus de 250 000 exemplaires du single. Une vraie belle réussite, avec ce texte où l'on retrouve toute la poésie de Goldman. En septembre 2018, pour les 20 ans du single, elle publie sur les réseaux sociaux un joli message :

Cette collaboration avec Jean-Jacques Goldman est un hymne à l'amour qui résonne toujours dans nos cœurs et qui continuera de le faire encore longtemps.

S'il suffisait qu'on s'aime, s'il suffisait d'aimer
Si l'on changeait les choses un peu,
rien qu'en aimant donner
S'il suffisait qu'on s'aime, s'il suffisait d'aimer
Je ferais de ce monde un rêve, une éternité

Citons également le remarquable « On ne change pas » qui sera le troisième single. Jean-Jacques Goldman a été particulièrement inspiré pour coucher son texte et décrire Céline au plus juste.

— Je lui ai posé la question parce que « petite fille ingrate et solitaire », toutes les chanteuses ne sont pas forcément prêtes à se souvenir de ça, explique-t-il. Mais elle le revendique et en est même très touchée.

---

1. *Ibid.*

Immense star pour le grand public, Céline demeure pour son entourage la petite fille de son village. Car elle n'a pas perdu ses valeurs dans le tourbillon des paillettes, loin de là.

Goldman le confirme :

— Quand on la connaît un peu, on voit la diva et puis aussitôt la petite fille de Charlemagne qui n'a aucune confiance en elle. Ces mots sont venus en la regardant, en la voyant diva, extrêmement maquillée, puis tout à coup, elle lâche une parole ou montre une inquiétude qui prouve qu'elle n'a pas changé[1].

Céline Dion est particulièrement touchée par la justesse des mots du parolier. Comme s'il lisait à travers elle comme un livre ouvert.

— C'est moi, bien sûr. Jean-Jacques me connaît bien. Quand il m'écrit un texte, je me retrouve. Parfois, cela m'émeut. Notamment, cette chanson qui parle de l'enfance et de l'adolescence, la période la plus douloureuse pour moi. Je détestais l'école. La petite fille « maigre et inquiète » que j'étais est toujours en moi[2].

> *On ne change pas, on met juste*
> *Les costumes d'autres et voilà*
> *On ne change pas, on ne cache*
> *Qu'un instant de soi*

L'album est un énorme succès vendu à quatre millions d'exemplaires au niveau mondial. Numéro 1 des ventes en Grèce, en Suisse, en Belgique, il s'en vend 1,5 million de copies en France, où il est également numéro 1 des

---

1. *Télémoustique*, novembre 1998.
2. *Télé 7 jours Magazine*, décembre 1998.

ventes et certifié disque de diamant. Au Canada, ce sont 500 000 exemplaires écoulés et quadruple disque de platine. Outre-Manche, il est le deuxième album en français à être certifié disque d'or après l'album « D'eux » et se vend à 100 000 copies. Aux États-Unis, c'est également un peu plus de 100 000 copies de vendues. Un succès à la mesure de la qualité de l'opus et qui sera fêté en grandes pompes quelques mois plus tard.

Je suis ton ange...

Après une année 1998 chargée d'émotions, de surprises et de succès, Céline ne chôme pas et enregistre un nouvel album de Noël. Le premier du genre depuis 1983, le premier en anglais, il s'intitule « These Are Special Times ». Sorti fin octobre 1998 et produit par David Foster, le seul single de promotion sort début novembre sous le titre « I'm Your Angel ». Il s'agit d'un duo écrit, produit et chanté par R Kelly, auteur-compositeur renommé aux États-Unis pour avoir écrit et composé la chanson « You Are Not Alone » pour Michael Jackson en 1995. Il obtient une renommée mondiale en chantant le tube « I Believe I Can Fly » en 1996. Ce tube est aussi la bande originale du film animé *Space Jam*, ayant pour étonnants acteurs principaux Bugs Bunny et le légendaire basketteur Michael Jordan.

L'album est un énorme succès puisqu'il se vend à plus de 11 millions d'exemplaires partout dans le monde. Numéro 1 au Canada, certifié disque de diamant avec un million de copies vendues, il est également numéro 1 en Norvège et en Suisse. Il se vend à plus de 5 millions d'exemplaires aux États-Unis et 500 000 au Japon. Cette performance est en forme de cerise sur le gâteau de l'année écoulée, l'année de tous les succès. À preuve, le single reste numéro 1 du Billboard Hot 100 américain six semaines consécutives. « I'm Your Angel » s'est vendu à 1,5 million d'exemplaires aux États-Unis et reste à ce jour le dernier single numéro 1 pour les deux artistes. R Kelly, superbe voix, talentueux auteur-compositeur, poursuit une brillante carrière jusqu'à être consacré meilleur artiste R'n'B pour ses 25 ans de carrière. Puis un jour, sa part d'ombre perverse est révélée au grand jour et s'amorce alors sa déchéance.

1998 se termine donc en fanfare pour Céline Dion, dont tous les challenges ont été relevés et réussis. Que lui reste-t-il à accomplir maintenant qu'elle est devenue la plus grande chanteuse internationale comme le voulait son mari et manager René Angélil ? Une immense tournée de promotion des succès « Let's Talk About Love » et « S'il suffisait d'aimer » est organisée en Europe et dans le monde. De quoi profiter de sa popularité et savourer sur scène en communion avec son public des quatre coins de la planète.

7

Dans l'histoire
du Stade

Toute l'année 1999 est consacrée à la tournée de promotion de la diva Dion et de ses deux derniers albums « Let's Talk About Love » et « S'il suffisait d'aimer », une grande fête à travers le monde. On n'a pas lésiné sur les moyens pour offrir un spectacle unique et sensationnel : un décor scénique d'un coût de 10 millions de dollars, dont le montage nécessite plus de 80 personnes et coûte environ 100 000 dollars. Au passage, Céline participe pour la troisième année consécutive à la cérémonie des Oscars et devient une habituée d'Hollywood.

Par ailleurs, le 1er mars, un nouveau duo est diffusé. Il s'agit de « The Prayer », interprété avec Andrea Bocelli. Elle apparaît un an plus tôt sur la bande originale du film d'animation *Excalibur, l'épée magique*, mais également sur l'album de Noël « These Are Special Times ». Réunissant une nouvelle fois deux des plus belles voix mondiales, ce duo suit une évolution logique pour Céline. L'alchimie entre l'Italien Andrea Bocelli, ténor moderne qui a eu du succès en France avec « Con te partiro » et « Vivo per lei », et Céline, la plus grande diva de la décennie, gagne la popularité du public, mais également des critiques. Qualifiée tour à tour de « magnifique duo » ou de « chanson à couper le souffle, ultra-luxuriante et envoyant une demi-douzaine de frissons », « The Prayer », écrite par David Foster et son équipe, se voit récompensée du Golden Globe Award 1999 de la meilleure chanson pour film d'animation. Les deux protagonistes se retrouvent pour la chanter en *live* lors des cérémonies des Grammy Awards et Academy Awards en cette année 1999. Une parenthèse enchantée en pleine tournée mondiale qui maintient le rêve éveillé.

Malheureusement, la tournée se voit allégée de plusieurs dates, comme ça sera le cas en France, avec la suppression des concerts prévus au Stade Gerland de Lyon ainsi qu'au stade Vélodrome de Marseille. La grande aventure est cependant freinée en plein vol, car l'artiste affronte dans sa vie intime une épreuve dramatique : René Angélil, son mari et manager, apprend qu'il est atteint d'un cancer de la gorge. Dans cette épreuve, le couple se resserre un peu plus, se soude plus que jamais pour combattre le crabe vicieux qui tente d'obscurcir leur bonheur. Après avoir conquis le monde entier, il serait dramatique qu'une fin aussi triste vienne tout stopper. Il faut croire que la force de l'amour peut bel et bien déplacer des montagnes. Au bout de quelques mois, René est en rémission. Pour autant, l'épreuve de la maladie donne à revoir ses priorités et son idée de la vie. L'artiste, elle, prend conscience de la fragilité de l'existence et prendra une décision sans appel quelque temps plus tard.

En attendant, *the show must go on* et la tournée bat son plein. Après avoir commencé l'année par l'Asie et sillonné l'Amérique du Nord, elle s'arrête pour une douzaine de dates en Europe. Ainsi, les 19 et 20 juin 1999, le public français se réunit dans la belle enceinte du Stade de France à Saint-Denis. Le lieu, inauguré un an et demi avant, est déjà mythique pour avoir vu le célèbre sacre mondial de l'équipe de France de football le 12 juin 1998. Un mois plus tard, le 27 juillet 1998, le Stade ouvre ses portes aux mythiques Rolling Stones et leur leader emblématique Mick Jagger pour un concert de grande envergure. En septembre qui suit, il accueille son premier événement musical français avec Johnny Hallyday, qui assied sa domination sur la chanson française purement et simplement. Bravant l'orage qui gronde sur la scène, l'Idole des jeunes offre un spectacle historique.

Il était inévitable et même légitime que la star québécoise se produise dans cette enceinte à ciel ouvert pouvant accueillir plus de 80 000 spectateurs. À 31 ans, la diva réussit à inscrire un nouveau record, puisque ce sont environ 90 000 spectateurs qui assistent à la grand-messe. Ce record est à ce jour inégalé. Devant une scène aménagée à 360 degrés en forme de cœur, la Québécoise se lâche pour un show gravé dans l'histoire. La *playlist* comprend un joli mix entre chansons anglaises et chansons françaises. Une ouverture avec l'adaptation anglaise de « Puisque tu pars » de Jean-Jacques Goldman, « Let's Talk About Love », la chanteuse déroule sa jolie palette et passe en revue ses standards, sans doute les plus emblématiques : « Pour que tu m'aimes encore », puis un medley acoustique, où elle rend hommage à Michel Berger et Luc Plamondon en reprenant « Un garçon pas comme les autres (Ziggy) », sans oublier son parolier historique Eddy Marnay en chantant son tout premier tube français « D'amour ou d'amitié ». Plus tard dans la soirée, un invité surprise fait sensation en montant sur la grande scène : Jean-Jacques Goldman. Ensemble, ils interprètent d'abord leur duo « J'irai où tu iras ». Puis, acclamé par la foule, l'artiste français introduit *a cappella* « S'il suffisait d'aimer » après avoir fait une belle déclaration de la part de tout le public français. La chanson de clôture est inévitablement « My Heart Will Go On ».

Un bel album *live* titré « Au cœur du Stade » est tiré de ces deux concerts. Il sort tout juste un mois après l'enregistrement de la prestation et se vend à plus de deux millions d'exemplaires à travers le monde. Plusieurs disques de platine lui sont décernés et un DVD est également commercialisé. La conquête touche à son ultime but.

Ce triomphe de la diva met un point d'orgue à sa carrière internationale et son hégémonie. À preuve, cette énième compilation intitulée « All the Way... A Decade of Song » sortie en novembre 1999. Loin d'être une mise à jour attrape-nigaud commerciale, elle comporte, en plus des plus grandes chansons anglaises de l'artiste, quelque sept morceaux inédits. Parmi eux, un étonnant duo virtuel avec... Frank Sinatra. Le crooner interprète légendaire du standard américain « New York New York » est décédé en mai 1998. Il est vrai qu'à cette époque, Céline enchaînait les duos exceptionnels, comme on l'a vu avec Barbra Streisand ou encore le ténor Luciano Pavarotti. Chanter avec Frank Sinatra était un rêve pour tout artiste. Même s'il s'est envolé au paradis des artistes, la technologie a permis de créer une part de rêve pour la diva canadienne. À tort ou à raison, car, il faut bien le dire, forcer le destin à coups d'informatique ne laisse pas la saveur du réel. La chanson est « All the Way », un titre interprété par Sinatra dans les années 1950 et ayant reçu à l'époque un bel Award. Pour cette version, la production a « récupéré » la voix du crooner datant de 1963. Elle surprend à tel point qu'elle est nommée aux Grammy Awards pour la meilleure collaboration.

Au-delà de ce duo étonnant, le single de promotion choisi est « That's the Way It Is ». Un beau morceau de pop-variété dans les règles de l'art, plein d'entrain qui célèbre la diva. Une fois n'est pas coutume, l'album, lui, est un succès étourdissant se vendant à plus de 25 millions d'exemplaires dans le monde. Mais alors, que reste-t-il comme challenge à accomplir au sommet des sommets ?

Du côté de la planète musique, en France, Johnny Hallyday sort un album-concept coécrit avec son fils David, « Sang pour Sang », l'un des meilleurs de sa longue carrière. Les artisans de la chanson française font également un retour retentissant : après cinq ans de silence, Francis Cabrel vend à plus d'un million d'exemplaires son album « Hors-saison » inspiré par Hossegor, la belle station balnéaire des Landes. Alain Souchon, lui, vend autant de disques de son nouvel album « Au ras des pâquerettes » après six ans d'absence. Souchon, parolier-poète aux thèmes existentiels, ne se démode pas même après un long silence[1]. On reconnaît les valeurs sûres de la chanson.

Du reste, la production de *Notre-Dame de Paris* crée l'événement en France. Cette comédie musicale est adaptée du chef-d'œuvre classique de Victor Hugo, et les chansons sont écrites par Luc Plamondon et composées par Richard Cocciante. Du côté du casting, si le rôle d'Esmeralda est interprété par la Varoise Hélène Ségara (connue pour son duo avec Andrea Bocelli un an auparavant) et le Corse Patrick Fiori dans le rôle de Phoebus, la distribution fait

---

1. *Alain Souchon, la vie en vrai*, Thomas Chaline, City Éditions, 2017.

la part belle aux artistes québécois. Ainsi, le public français découvre Bruno Pelletier, dont l'interprétation de la chanson « Le temps des cathédrales » est un tube, Luck Mervil ou Garou dans le rôle du célèbre Quasimodo. On redécouvre aussi à l'occasion l'immense Daniel Lavoie, qui avait coécrit la chanson « Lolita... trop jeune pour aimer » pour Céline en 1987. Une nouvelle génération d'artistes québécois qui vient trouver le succès en France, on le verra, durablement.

L'un des tubes de l'année en France est une reprise de la chanson de Daniel Balavoine « Tous les cris les SOS ». Elle est interprétée par la jeune Lena Ka et se vend à plus de 200 000 exemplaires. Artiste émergente, Lena Ka est issue de cette génération de chanteuses influencées par Céline. Elle me confie :

— Céline Dion fait partie des trois grandes divas qui m'ont inspirée et influencée au début de ma petite carrière (avec Mariah Carey et Whitney Houston). Elle m'a clairement donné l'envie de découvrir et travailler ma voix pour parfaire ma technique vocale. J'ai toujours été admirative devant sa force de travail et de caractère dans ce beau, mais difficile métier[1].

À l'été 1999, la France découvre l'Australienne Tina Arena et son tube français « Aller plus haut », écrit et composé par Robert Goldman. Le groupe Indochine perd son guitariste-compositeur Stéphane Sirkis et sort un nouvel album encensé par la presse : « Dancetaria », dont le premier single très pop-rock « Juste toi et moi » annonce encore de beaux jours au groupe qui a presque 20 ans[2]. David Hallyday, fils de, fait un succès bouleversant avec

---

1. Correspondance avec l'auteur, août 2019.
2. *Indochine, la véritable histoire*, Thomas Chaline, City Éditions, 2018.

Philippe Lavil reçoit en coulisses Céline Dion
et Patrick Sébastien lors d'un concert (1984).

Dernière d'une famille de quatorze enfants, Céline conquiert
le Québec avant de se lancer dans une carrière internationale (1987).

Céline remporte le concours de l'Eurovision sous les couleurs
de la Suisse avec la chanson *Ne partez pas sans moi* (1988).

La jeune chanteuse fête son anniversaire avec ses parents,
Thérèse Tanguay et Adhémar Dion (1994).

Céline Dion et René Angelil unissent leurs destinées
à la basilique Notre-Dame, à Montréal (1994).

La rencontre avec Jean-Jacques Goldman aboutit à la sortie
de l'album *D'eux* qui connaît un succès immédiat (1996).

Céline et René rachètent la chaîne
de restaurants québécois *Nickels* (1999).

C'est la cohue dans les rues de Montréal pour venir voir
Céline et René avec leur fils René-Charles (2001).

Céline Dion a son étoile sur le célèbre *Hollywood Walk of Fame* (2004).

En duo avec Elton John dans un concert caritatif
après la catastrophe de l'ouragan Katrina (2005).

Érigé sur une île privée de 830 000 mètres
carrés, le manoir de style
« château normand » au Québec.

La luxueuse propriété de Jupiter Island
en Floride créée et conçue par la chanteuse
avec notamment un parc aquatique.

Dernière représentation de la star au Caesars Palace de Las Vegas
après seize ans de représenations et plus de 4,5 millions de fans (2007).

Aux obsèques nationales de son mari René Angélil
à la basilique Notre-Dame de Montréal, au Canada (2016).

René-Charles Angelil remet à sa mère
le prestigieux *Billboard Icon Award* (2016).

Moment de détente avec ses deux jumeaux,
Eddy et Nelson à Disneyland (2016).

Après l'énorme succès de son disque *Encore un soir*, la star devient coach
de la chanteuse de Gwen Stefani dans l'émission *The Voice* (2017).

Avec Pepe Munoz, ancien danseur de la chanteuse devenu
son confident le plus proche à la *Fashion Week* de Paris (2019).

« Tu ne m'as pas laissé le temps ». Un talent authentique qui aurait dû lui assurer une pérennité et la possibilité d'exister sans être dans l'ombre de son illustre père. L'histoire dira tout autre chose.

Aux États-Unis, un phénomène nouveau prend rapidement de l'ampleur : Britney Spears, une star de tout juste 18 ans, s'impose partout dans les charts ainsi qu'en France. Elle est suivie de près par Christina Aguilera et l'actrice Jennifer Lopez dans le même genre pop-dance. En cette fin de siècle, les différents genres musicaux ne manquent ni de créativité ni de richesse.

Céline est à son zénith. Son succès planétaire et sa popularité lui donnent le pouvoir financier de décider. Ce pouvoir de décision est si rare dans le show-business qu'elle aurait tort de s'en priver. Les cartes en mains, elle sait désormais exactement à quel moment les poser.

Une pause

Novembre 1999, hôtel Bristol de Paris, les journalistes s'entassent dans la grande salle de conférences. Céline et René sont côte à côte, visages graves. L'objet de cette réunion est d'abord la promotion « All the Way... A Decade of Song ». Mais une annonce fait trembler la salle : l'artiste fait une pause de deux ans à effet immédiat. Céline provoque une vive émotion auprès de ses fans du monde. Elle a tout conquis et bien au-delà des ambitions qu'elle nourrissait et, avec elle, son mari René et sa maman Thérèse.

À 31 ans, elle aspire à réaliser un vœu intime. Devenir mère, donner la vie. Le cancer de René n'est pas étranger à cette pause. Il est grand temps de penser à fonder une

129

famille, concrétiser cet amour de longue date par un enfant. Besoin et envie légitimes pour une diva qui est avant tout une femme.

Elle a consacré toute sa vie à la musique, est allée au bout de son rêve, propulsée par René, soutenue par sa famille, sa maman. Quand la passion vous mène, aller au bout de vous-même n'a rien d'un sacrifice, loin de là. Mais voilà : la Québécoise a toujours chanté l'amour, on comprend bien aisément qu'il est désormais l'heure de s'y consacrer à plein temps.

Avant de quitter la scène pour une longue période, elle ne laisse pas son public en reste et lui offre un concert d'au revoir le 31 janvier 1999. Et quoi de mieux comme symbole fort que de chanter à Montréal ? C'est en effet devant les 25 000 spectateurs du Centre Molson de la ville, et une dizaine de milliers de téléspectateurs que la chanteuse offre un show à la mesure de son charisme et de son talent. Elle concocte par ailleurs des surprises 100 % Canada en invitant sur scène le légendaire Bryan Adams pour chanter « When You're Gone », mais aussi Luck Mervil, avec qui elle inter-prète « J'irai où tu iras ». Toute vêtue de Versace ou Lanvin, la diva déroule ses plus grands tubes pendant plus de deux heures pour un concert mémorable et inoubliable.

Avant le show, un fan déséquilibré tente de franchir le cordon de sécurité, pistolet à décharge électrique en main. Trois membres de la sécurité sont blessés, mais le fan est rapidement maîtrisé[1]. Un fait divers qui aurait pu mal finir et gâcher la fête.

Quelques jours plus tard, à peine entrés dans le nouveau siècle, René et Céline décident de se marier une seconde fois

---

1.   Source CelineDionWeb.com.

le 5 janvier 2000. Mais c'est au Caesars Palace de Las Vegas qu'ils célèbrent leur nouvelle noce. Paradis des jeux et des casinos, Las Vegas est réputé pour ses mariages « fun », où le prêtre est tout bonnement remplacé par la réplique exacte ou grotesque d'Elvis Presley. Le couple Angélil cède aux lumières aveuglantes et aux paillettes de ce mirage du Nevada. Il est loin le temps du mariage princier en la cathédrale de Montréal, les goûts évoluent et un peu de « fun » n'enlève rien à l'essentiel : l'union de l'amour.

En octobre 2000, une compilation sort dans les bacs pour maintenir la notoriété de l'artiste. « The Collector Series, Volume 1 » paraît en France sous le titre « Tout en amour ». Ne bénéficiant d'aucune promotion, Céline respectant entièrement son *break*, le disque réussit à se vendre à plus de trois millions d'exemplaires. Belle preuve de popularité qui peut réjouir le management Dion et lui laisser envisager un retour à sa guise...

Quelque temps après leur mariage à Vegas, le couple annonce la grossesse tant espérée de Céline. Les aspirations intimes se concrétisent, loin du showbiz. Le 25 janvier 2001, René-Charles voit le jour à Palm Beach, en Floride. Né d'une fécondation in vitro, il attise toutes les curiosités dès sa conception. Sous les feux des projecteurs et surtout des paparazzis, il sera dès ses premières années au cœur de nombreux cancans. C'est le revers de la position de star de sa mère. Cet enfant a-t-il conscience que son existence est déjà conditionnée d'une certaine manière ? Que son innocence risque d'être atteinte du fait du statut de ses parents ? Ces derniers seront critiqués pour leur façon d'éduquer ou d'habiller leur enfant, pour ses cheveux très, très, très longs.

I'm alive

À l'automne 2001, un duo est lancé sur les ondes. « Sous le vent », interprété par Garou et Céline Dion. Garou, de son vrai nom Pierre Garand, né en 1972 à Sherbrooke, au Québec. Chanteur dans des jazz-clubs du Québec durant ses jeunes années, il a pour culture le blues et le jazz. Il devient célèbre en France pour son rôle de Quasimodo dans la comédie musicale *Notre-Dame de Paris* et son trio avec Patrick Fiori et Daniel Lavoie sur la chanson « Belle ». Sa voix éraillée rappelle Bryan Adams ou encore Joe Cocker, dont il n'hésite pas à reprendre le tube « Angel My Heart » sur les plateaux télévisés. C'est tout naturellement que sa popularité lui rapporte un contrat d'artiste en maison de disques, en l'occurrence Sony Music. Ainsi, son premier album solo, « Seul », sort en 2000. Chanter en duo avec Céline Dion est une garantie de succès. Ce sera le cas. C'est aussi symbolique, tant elle représente la réussite d'une artiste canadienne-française dans le monde.

La rencontre entre les deux artistes s'est faite lors des représentations de *Notre-Dame* à Paris. Garou était impressionné de la voir, aussi simple et proche des autres artistes de la troupe. Il n'ose pas l'aborder et, surtout, c'est un malentendu qui a lieu :

— Ce n'est pas juste que je n'ai pas osé lui parler... raconte-t-il. C'est que tout le monde venait lui parler ! Tout le monde parlait d'elle avant même qu'elle arrive et dès qu'elle a débarqué en *backstage* pour venir nous voir, tout le monde lui a sauté dessus. Je me suis dit : « La pauvre ! » Je me demandais : « Mais comment on peut faire un métier pareil ? » Finalement, c'est elle qui est venue me parler. Elle pensait que j'étais un technicien, en fait, elle voulait ajuster son son[1].

Plus tard, la diva découvre Garou le chanteur et cède au charme de sa voix. René, qui est guéri de son cancer, est tout aussi sensible à ce jeune homme prometteur qui a déjà fait des étincelles en France. Alors que Céline profite pleinement de sa vie de maman, René ne veut pas rester inactif dans l'attente du retour de son épouse. Il décide de manager Garou en qui il croit et veut lui faire prendre une autre dimension.

— Elle voulait que toute son équipe continue à travailler avec quelqu'un d'autre pendant sa pause, explique Garou. Je l'écoute attentivement, mais sans croire qu'elle veut me dire que c'est avec moi qu'ils veulent travailler. Comme quoi, je suis très naïf, ça a été un cadeau extraordinaire[2].

Ainsi, la naissance de ce duo répond à une logique. C'est une chanson d'amour, en mode épistolaire, d'un couple en plein doute. Les mots et la musique sont signés Jacques Veneruso, un auteur-compositeur français originaire de La Ciotat. La romance musicale crée le choc tant l'association de ces deux voix si différentes donne un rendu merveil-leux. Les deux artistes chantent à leur façon, et c'est le juste équilibre, pas un en dessous ni au-dessus de l'autre.

À l'été 2001, les deux artistes se réunissent pour tourner le clip. La bonne humeur règne sur le plateau et le réalisa-teur s'en émerveille :

— C'est un rêve de travailler avec des gens d'un tel professionnalisme, explique Istan Rozumny. Tu leur demandes une chose une fois et ils la font correctement dès la première prise. Toutefois, les deux artistes ont eu

---

1. *Taratata*, février 2019.
2. *Ibid.*

tellement de plaisir à tourner le clip que le tournage en a été retardé ! On se mettait à tourner et dès que Céline et Garou se regardaient, ils éclataient de rire, alors, il fallait recommencer[1].

Longtemps numéro 1 du classement en France, cette chanson touche une nouvelle génération de jeunes fans. Le public est largement conquis et le single se vend à plusieurs milliers d'exemplaires. Il est certifié disque de diamant. La chanson est récompensée aux Victoires de la musique 2002 pour la « meilleure chanson originale de l'année ».

Fais comme si j'avais pris la mer
J'ai sorti la grand'voile
Et j'ai glissé sous le vent
Fais comme si je quittais la terre
J'ai trouvé mon étoile
Je l'ai suivie un instant
Sous le vent

Après ce retour gagnant partagé, Céline semble prête pour revenir en solo. Seulement, voilà : la vie a évolué, nous sommes dans ce nouveau siècle où elle est désormais mère de famille, avec la contrainte de conjuguer vie professionnelle et familiale. René trouve la solution en la plaçant en résidence à Las Vegas. Il conclut un contrat de plus de 100 millions de dollars pour 600 représentations. Ce n'est pas une consécration à proprement parler, mais bel et bien une prise de risque.

À l'époque, Vegas était comme une bouée de secours pour des artistes *has been* ou sur le déclin. Ces résidences

---

1. Source CélineDionWeb.com.

leur permettaient de continuer à gagner leur vie honorablement, de garder un petit standing en pratiquant « la scène »,
quand bien même ils avaient disparu des écrans télévisés.
Un contresens à l'histoire de Céline, puisqu'elle s'y engage
alors qu'elle est au sommet. Comme nous le verrons, sa
réussite permettra de rendre à Las Vegas ses lettres de
noblesse et d'inverser carrément la tendance.

Rien de tout cela. Pour Céline et René, c'est le seul
moyen de reprendre le travail tout en maintenant une vie de
famille. Une vie normale. De plus, René est un joueur invétéré de poker et il sait que le monde entier vient à Vegas.
Ce serait donc une belle vitrine pour Céline. Las Vegas
n'est donc pas choisi au hasard, et chacun peut y trouver
son compte. Seulement, dans le milieu du show-business
comme chez les fans, certains craignent de voir la diva
s'enterrer par ce choix. Comme dans une préretraite qui
ne dirait pas son nom. Faut-il se faire à l'idée que Céline
appartient au passé et que ses albums se feront désormais
très rares et confidentiels ?

Que nenni ! Pour faire taire les critiques et les craintes,
quoi de mieux qu'un nouvel album ? C'est la meilleure
réponse et la plus efficace que le couple apporte en
mars 2002.

L'album « A New Day Has Come » signe le retour de la
diva sur la scène internationale. Un opus en anglais produit
sur mesure par quelques collaborateurs historiques de la
carrière de Céline comme Aldo Nova ou Walter Afanasieff.
Ce sont eux, d'ailleurs, qui sont derrière le premier single
éponyme qui sort le 11 mars. Il ne chamboule pas l'univers musical US, alors investi par des artistes qui ont pris
possession des charts avec charisme et talent. Citons par
exemple Robbie Williams qui brille avec « Feel » ou le

retour du groupe de rock Red Hot Chili Peppers. Pink et son univers poétique, pop mélodieux et déjanté. Notons également les omniprésences de Madonna, Jennifer Lopez et l'arrivée tambour battant de la Colombienne Shakira qui inonde les écrans avec son premier gros tube « Whenever, Wherever ».

Dans ce contexte, pour Céline, le challenge d'un retour gagnant s'annonce plus compliqué qu'il n'y paraît. D'autant plus que les critiques musicaux l'attendent le couteau entre les dents, prêts à l'éreinter au moindre prétexte. Pour eux, c'est comme si elle n'avait plus sa place dans ce nouveau siècle, comme si elle appartenait désormais au passé, à la musique des années 1990.

Au-delà d'une critique facile, ils ont le verbe acerbe, le dénigrement méchant. Pour exemple, *Slant Magazine* qui décrit de façon dédaigneuse ce nouvel album :

Définitions de « grive » : a) une maladie contagieuse causée par un champignon, Candida albicans, caractérisé par une décharge nauséabonde, b) l'une des nombreuses espèces d'oiseaux chantant notées pour la douceur de leurs chansons, c) une femme qui chante des chansons populaires. Tous les trois peuvent en fait être utilisés pour décrire Céline Dion, la superstar multi-platine et sa musique. La pire chose à propos de Céline Dion est que vous ne pouvez pas vraiment en attendre beaucoup ; elle est douée pour ce qu'elle fait, mais si elle essayait quelque chose de trop énervé, elle aurait probablement l'air stupide[1].

Plus loin, la critique s'abstient de tout éloge sur la collaboration entre Céline et Robert Lange, auteur-compositeur réputé pour avoir fait les beaux jours de divers artistes

---

1. *Slant Magazine*, mars 2002.

comme ACDC, Bryan Adams ou Shania Twain, son ex-épouse. Plus récemment, Lange a produit Lady Gaga et le groupe Muse avec succès. Bizarrement, le morceau « Goodbye » écrit pour Céline n'a pas séduit, mais provoqué un rejet :

« Goodbye (The Saddest Word) », un morceau écrit et produit par RJ « Mutt » Lange et avec Shania Twain au chœur, est le genre de mélodie coquine qui vous laissera nauséeux ou en larmes[1].

Une presse hostile se lâche noir sur blanc, avec une hostilité inouïe, un déferlement de rage ahurissant envers la diva québécoise.

Pourtant, on ne peut pas dire que l'artiste se soit dénaturée, au contraire. Elle revient avec des thèmes qu'elle a toujours portés tels l'amour ou l'espoir. Elle évoque aussi sa maternité et l'apaisement de l'âge, elle qui fête alors ses 34 ans. Elle semble rester la même, la fameuse petite fille de Charlemagne qui ne change pas, comme l'a écrit Goldman. Cette spontanéité défiant tous les artifices que commande la profession en désarme plus d'un. Cela explique peut-être l'animosité des critiques à son égard, car du reste, le public répond volontiers présent et se réjouit d'un tel album. Enthousiaste, entraînant, c'est un recueil de ballades qui se laissent écouter agréablement. Il contient deux reprises adaptées de chansons françaises : « The Greatest Reward » originellement « L'envie d'aimer », pièce coécrite et composée par Pascal Obispo et Lionel Florence pour la comédie musicale *Les dix commandements*, sorti en 2000. Et, également, « Ten Days », qui n'est autre que le tube de Gérald

---

1. *Slant Magazine*, mars 2002.

De Palmas sorti en 2000. L'univers musical de De Palmas semble coller parfaitement à l'interprétation de Céline.

Le second single, « I'm Alive », sort au mois d'août 2002. À cette époque, les radios françaises diffusent abondamment le grand retour du groupe Indochine, 20 ans après sa création, en diffusant en boucle leur chanson « J'ai demandé à la lune ». Comme quoi, pour un groupe classé et étiqueté pendant longtemps « artiste des années 1980 », un retour sur le devant de la scène n'apparaît pas comme marginal, c'est au contraire une belle renaissance. Il doit en être de même pour Céline, n'en déplaise à ceux qui veulent écrire l'histoire avant l'heure.

Sa chanson « I'm Alive », écrite et composée par les mêmes créateurs que « That's the Way It Is », est un morceau frais et léger. Une belle recette pop-variété, à la mélodie simple et assez efficace pour rester dans les esprits. Titre symbolique, « Je suis en vie » en français, comme un pied de nez à ceux qui la croient retirée sagement dans le Nevada. Non, Céline n'est pas finie et poursuit sa route au gré de ses instincts et envies. Cette chanson, « I'm Alive », qui est aussi la bande originale du film *Stuart Little 2*, affirme haut et fort, mais tout en légèreté, son épanouissement de mère et plus que jamais amoureuse de la vie. Que voulez-vous, « Le bonheur des uns fait la colère d'autres ».

When you call on me
When I hear you breath
I get wings to fly
I feel that I'm alive

Cette chanson permet de renouer avec le succès grand public. Le single se vend à plus de 250 000 exemplaires en France et apparaît dans le Top 10 de plusieurs charts dans le monde. Au-delà de la chanson, c'est l'album qui se place numéro 1. Le public ne se laisse pas influencer par les opinions des « spécialistes » et achète en masse l'opus du renouveau. Plus de 25 millions d'exemplaires à travers le monde. Quasi un million en France et triple disque de platine. Aux USA, c'est aussi le public qui a choisi avec 3,4 millions d'exemplaires qui s'écoulent.

Toutefois, ce retour-succès ne fait pas l'objet d'une nouvelle tournée de promotion et pour cause : durant de nombreuses années, elle les a enchaînées à travers le monde. Si sa pause était destinée à mettre au monde un bébé, il est aussi évident qu'elle était due à une grosse fatigue.

En 2002, soit deux ans après, elle revient sur le devant de la scène, mais la maternité lui a offert une autre vision de la vie et du métier. Elle a toujours le pouvoir sur ce qu'elle fait et ce qu'elle veut. C'est donc toujours, à raison, sa famille sa priorité. N'oublions pas non plus que sa résidence à Vegas sera lancée dans quelques mois. À défaut de valoir de l'or, ce contrat l'a contrainte à se consacrer quasi exclusivement à cette résidence.

Pour ce qui est de sa carrière française, la préparation d'un nouvel album n'est pas non plus à l'ordre du jour. Jean-Jacques Goldman lui a fait passer un cap essentiel, artistiquement et en popularité. Il n'est pas sûr qu'une nouvelle collaboration entre les deux se refasse un jour. En 2001, l'auteur-compositeur français a sorti son album-concept, « Chansons pour les pieds », qui explore différents genres musicaux. Goldman déclare, à la sortie de son disque : « Il n'y a rien de plus noble que les gens qui font danser les gens » pour expliquer la philosophie de cet ultime disque. On y trouve donc une gigue, une tarentelle, un slow, un zouk, un rock, un disco ou encore un canon. Ce dernier genre rappelant plutôt les chorales scolaires est brillamment orchestré dans la chanson « Ensemble » où les chœurs du canon sont chantés par Maxime Le Forestier, Gérald De Palmas et Michael Jones. « Quand le temps nous rassemble, ensemble, tout est plus joli. » Cette dernière phrase peut symboliser l'ultime message que J-J Goldman a voulu laisser de sa longue œuvre de créateur de chansons, comme il aime à se définir. En 2002, il fait une longue tournée de promotion dans les Zéniths de France jusqu'en décembre. Puis il tire sa révérence sans vraiment l'annoncer de manière officielle. Sans concert d'adieu pour ses nombreux fans, il quitte juste la scène sans confettis, ni artifices, mais avec humilité et discrétion, à l'image de l'homme.

Ce retrait permettra sans doute à de nouveaux auteurs-compositeurs d'émerger et œuvrer pour la carrière française de Céline Dion. Reste à savoir lequel tirera son épingle du jeu ou pas. Pour l'heure, Céline profite pleinement de son petit René-Charles que maman Dion surnomme le « petit prince ». En effet, à la naissance du bébé, des cadeaux lui ont été offerts du monde entier. De plus, de nombreux reportages photo dans des magazines plus mondains que people ont été consacrés à l'héritier de la diva. Malgré tout, si elle a conscience qu'elle est une personnalité publique, elle sait où se trouve l'essentiel. Ses valeurs de Canadienne française lui ont évité bien des désagréments, l'ont aidée à traverser les pièges de la notoriété. Elle doit donner une éducation, transmettre des valeurs et surtout dispenser beaucoup d'amour à son enfant.

Céline ressort plus forte de l'épreuve du cancer de René ; elle a su résister, ne pas sombrer dans la peine et la tristesse, faire face à un drame qui aurait pu être dévastateur. L'amour de René, qui n'a cessé de l'encourager à maintenir le cap ; le sien pour lui pour qu'il ne baisse pas les bras, et la vie reprend une heureuse tournure. Le foyer respire désormais la quiétude et le bonheur, et Céline voit l'avenir avec une grande sérénité. Elle n'a plus rien à prouver, à personne, et se garde de tout challenge. C'est le simple plaisir de faire de la musique qui l'anime et pour un long moment...

8

Dans le nouveau
millénaire

Un nouveau jour...

— C'est un nouveau jour qui commence ici, annonce Céline. J'ai accompli beaucoup de choses dans ma vie, j'ai donné la vie. J'ai appris beaucoup et donné beaucoup. Ce qui arrive dans chaque vie est un nouveau jour[1].

Le 25 mars 2003, Céline Dion ajoute une nouvelle pierre à l'édifice de sa longue carrière. Elle entre en résidence à Las Vegas. L'événement est tel qu'au célèbre Caesars Palace, on a construit un nouvel amphithéâtre à la mesure de la diva : le Colosseum, disposant d'une jauge de plus de 4000 spectateurs, les ambitions sont là. Céline doit se produire quatre à cinq fois par semaine pendant une heure et demie. Ce 25 mars au soir, c'est à guichets fermés que la diva entre sur scène. Quatre mille cent quarante-huit spec-

---

1. Dhnet.be, 22 octobre 2002.

tateurs sont présents pour assister à la grande première et applaudir l'artiste québécoise.

La mise en scène a été créée par Franco Dragone. Ce metteur en scène belge, né en 1952 de parents italiens, a eu une évolution atypique. Formé au Conservatoire royal de Mons, en Belgique, à 30 ans il découvre le Québec, où il donne des cours de *commedia dell'arte*. Ses mises en scène séduisent Guy Laliberté, fondateur du Cirque du Soleil, qui l'embauche pour faire évoluer son institution. Ainsi, de 1985 à 1999, il fait la mise en scène de 10 spectacles au Cirque du Soleil, parmi lesquels : *Cirque du Soleil* en 1985, *Saltimbanco* en 1992, *Alegria* en 1994 et *Quidam* en 1996. En 2000, Dragone revient en Belgique et fonde sa société de production de spectacles : Dragone. En juin de cette année, il crée à Bruxelles la cérémonie d'ouverture du Championnat d'Europe de football, coorganisée par la Belgique et la Hollande. Un beau parcours qui l'emmène jusqu'à Céline Dion. René a eu écho de son univers par Guy Laliberté, et son talent a marqué le Cirque du Soleil et le Québec.

— Après avoir, pendant 20 ans, chanté sur scène mes chansons en donnant le meilleur de moi-même, j'avais envie d'aller plus loin, déclare Céline. Je ne voulais plus revenir sur scène en apportant la même chose que ce que j'ai fait auparavant. J'étais curieuse d'autre chose. Le spectacle *O* de Franco Dragone m'a montré quelque chose de magique. Il m'a ouvert une porte. Nous travaillons maintenant ensemble et je sais qu'il est capable de sortir de moi des choses que je ne soupçonnais pas[1].

---

1. *Le Soir*, 24 mai 2002.

Pour le metteur en scène, tout a été créé pour et autour de Céline :

— Nous voulons faire un spectacle à la hauteur de sa voix, explique-t-il. L'histoire, c'est Céline. Notre source d'inspiration, c'est Céline. Ce que nous voulons, c'est susciter l'imagination. En créant un univers et des tableaux, titiller l'émotion du public[1].

Durant deux mois, fin 2002, Franco Dragone prépare le spectacle à La Louvière, sa ville d'origine.

— Pour la première fois, je vais prendre le temps de préparer un spectacle, de m'y impliquer autrement que quelques jours avant la représentation en prenant mes valises pour les transporter d'un endroit à l'autre[2], confie Céline.

Le spectacle prévoit quelque 70 danseurs sur scène et de multiples effets spéciaux. Dragone le veut comme un mélange entre théâtre, concert et chorégraphie. Le récital comporte une succession de tableaux différents, dans lesquels la diva intervient. De plus, Franco a redoublé d'innovation en termes techniques pour aboutir à un spectacle que l'on ne voit nulle part ailleurs. Dragone est enthousiaste à l'idée d'éblouir Las Vegas et de marquer une nouvelle fois les esprits.

— Ce que nous ferons tous les deux sera fantastique, affirme le metteur en scène belge. Un subtil équilibre entre la chanson, la danse et le théâtre. Un mélange entre la réalité virtuelle et le *live*. Les artistes évolueront devant un des plus grands écrans jamais vus et nous utiliserons des techniques que nul n'a encore utilisées dans le monde entier[3].

1. Dhnet.be, 22 octobre 2002.
2. *Le Soir*, octobre 2002.
3. Dhnet.be, octobre 2002.

Durant cette période, Céline loue une petite maison dans la campagne belge de La Louvière, où elle profite du calme en compagnie de René et leur fils René-Charles. Cette mise au vert inédite lui est bénéfique pour se concentrer pleinement sur ce nouvel objectif. Du reste, elle apprécie la simplicité de la campagne et d'une vie normale. Elle salue les gens du village, fait ses courses. La vraie vie.

— Après avoir vécu dans les grandes villes, se retrouver dans un petit village permet précisément de se redécouvrir, ressent-elle. Pendant mon temps de résidence en Belgique, j'ai pu entièrement me consacrer à mon spectacle. Travailler plusieurs approches pour une même chanson. Pour moi, c'est complètement nouveau[1].

Au soir d'une avant-première privilégiée pour le public belge et les journalistes, l'émotion prend Céline de court, tant les danseurs et tout l'ensemble de la troupe se sont donnés à 100 % dans ce projet.

— C'est tellement impressionnant de voir cette générosité... Physiquement, ils sont extraordinaires, émotionnellement, exceptionnels. Chaque ligne de leur visage traduit une émotion. Ils n'interprètent pas, ils sont le cœur du spectacle[2].

Le soir de la première, Céline apparaît sur scène avec un tout nouveau look : cheveux courts à la garçonne et teints en blond platine. Le spectacle s'intitule *A New Day...* (« Un nouveau jour... ») Avant cela, le titre fut l'objet d'échanges entre la diva et le metteur en scène. *Muse* leur semblait bien accrocheur, mais finalement *A New Day...* est apparu comme une évidence. Céline, accompagnée d'une pléiade de danseurs, de musiciens, sous les effets

1. *Le Soir*, octobre 2002.
2. Dhnet.be, octobre 2002.

spéciaux et écrans géants, éblouit le public. C'est l'une des plus grandes scènes du monde. Les prouesses tant vocales que techniques subjuguent et laissent le public totalement conquis. La diva déroule la palette des meilleurs succès de sa carrière dont « My Heart Will Go On », inévitable, mais également quelques reprises dont « I've Got the World on a String » de Frank Sinatra.

La veille, un nouvel album est lancé pour appuyer l'événement : « One Heart ». C'est le septième album studio en anglais de l'artiste. Étonnamment, pour élargir sa communication, elle signe un contrat de promotion avec la marque automobile Chrysler. Cela vise à élargir le public et l'image. Le premier single, « I Drove All Night », est une nouvelle reprise. Il a été écrit par Billy Steinberg et Tom Kelly, duo d'auteurs-compositeurs qui a eu du succès dans les années 1980 et 1990 en signant plusieurs tubes parmi lesquels : « True Colors » en 1986 pour Cyndi Lauper, repris avec succès par Phil Collins ; le célèbre « Like a Virgin » en 1984 pour Madonna ou « I'll Stand by You » en 1994 pour le groupe The Pretenders. Ce dernier titre est devenu, dans les années 2000, la bande originale de la trilogie française *Le cœur des hommes*.

La chanson « I Drove All Night » avait été originellement créée pour Roy Orbison. Le légendaire interprète de « Oh, Pretty Woman » l'enregistre en 1987, mais elle n'est pas diffusée. C'est Cyndi Lauper qui l'a rendue célèbre en 1989. Céline la reprend donc en 2003 au risque de se voir une nouvelle fois assassinée par les spécialistes américains. Sa version est plutôt réussie. Un bon rythme entre dance et pop internationale, une production musicale solide et la voix de Céline qui excelle sans se forcer. Le single obtient un bon succès populaire. Rien de comparable avec les œuvres précédentes, certes, mais ça se vend. Le single se classe même numéro 1 au Canada, et 45e du Billboard aux États-Unis. Cela n'y fait rien, la critique reste sur sa position de rejet sévère. *The Guardian* trouve que cette version « révèle un manque fondamental de sincérité qui la rend menaçante quand elle tente de passer un appel d'offres[1] ».

Au printemps 2003, le second single est « Have You Ever Been in Love » (traduisez « As-tu jamais été amoureux »). C'est un retour à un thème fondamental pour la Québécoise. Des arrangements sur un piano, lent et posé. Cela rappelle les slows romantiques de ses débuts et ce n'est pas pour déplaire puisque la critique adhère soudainement. Ainsi, le *Billboard* écrit :

Une ballade classique de Céline Dion est une source chaleureuse de réconfort dans une époque où le monde est troublé[2].

Un autre critique musical américain y voit de belles similitudes entre cette chanson et les grandes œuvres de Barbra Streisand, et il trouve donc un grand plaisir à écouter Céline Dion. La tendance semble s'inverser subitement pour celle qui était d'ores et déjà rangée dans les archives de la musique au rayon « gloire des années 1990 ». Dernière critique élogieuse de cette chanson par la voix d'*Entertainment Weekly* :

C'est un sentiment de libération joyeuse. Cette chanson est le meilleur exemple de la base solide qu'est l'album « One Heart », construite sur la capacité surnaturelle de Dion à infuser la sincérité dans des cartes sonores et à

---

1. *The Guardian*, 21 mars 2003.
2. *Billboard*, mars 2003.

sembler être la seule personne sur terre à croire au véri-table amour[1].

Ainsi, grâce à ce deuxième single, l'album « One Heart » est vraiment lancé. *Slant Magazine*, qui n'avait pas manqué d'aigreur et de virulence pour l'artiste, définit l'album comme un *mélange à mi-chemin entre ballades pop rete-nues et hymnes du club, cet album s'appuie sur les points forts de « A New Day Has Come » de l'année dernière et les amplifie. Même s'il manque un exploit remarquable comme le single « A New Day Has Come », l'album, dans son ensemble, poursuit l'approche sobre de son dernier disque, à la fois en production et en performance*[2].

Pour le magazine *People*, l'album *montre une retenue surprenante pour une diva qui vient de se faire construire un colisée sur mesure. Il y a une légèreté dans « One Heart » qui a été absente de la plupart de ses œuvres précédentes* [3].

La reconquête n'est jamais facile. Elle le sait. Musicalement, la production reste de très haut niveau, mais il semble que son ascension titanesque avec « My Heart Will Go On » lui collera toujours à la peau. Ce succès inouï, qui lui a offert toutes les lumières et les étoiles du monde entier, semble se retourner contre elle jusqu'à lui faire de l'ombre. Mais il est absurde et naïf de la part de ces « experts musicaux » américains d'espérer de Céline un nouveau « My Heart Will Go On » chaque année. La musique n'est pas une science exacte, ni un « art mineur », mais son « histoire » suit une logique imparable. Les succès vont et viennent. Casser systématiquement une telle artiste, qui a donné et excellé comme personne,

---

1. *Entertainment Weekly*, mars 2003.
2. *Slant Magazine*, mars 2003.
3. *People*, mars 2003.

n'est pas faire honneur à l'art de la musique. L'album a un succès, jugé mitigé évidemment pour les plus pessimistes, car il est loin le temps où les records étaient battus les uns après les autres. Trois cent mille exemplaires vendus en France, pareil pour le Canada, et deux millions aux États-Unis. N'importe quel artiste ou producteur serait, j'en suis sûr, heureux d'atteindre ces chiffres...

Selon Mark Bego, journaliste musical du *New York Times* et biographe :

— Personnellement, j'ai été emporté par l'engouement pour le Titanic lorsque j'ai écrit un livre à succès du New York Times sur la vedette du film Leonardo DiCaprio : Romantic Hero, donc, Céline Dion et moi étions liés par le succès de ce film. [...] Céline Dion peut-elle remporter un autre énorme succès dans sa carrière comme celui qu'elle a vécu avec Titanic et « My Heart Will Go On ? » Tout est possible dans le monde du spectacle. Et le monde de la musique est particulièrement instable. Il suffirait de la bonne chanson au bon moment, et la chance pourrait frapper deux fois pour Céline. Le public aime un grand « retour » ou un énorme succès soudain d'un artiste classique. Certes, Céline a encore la voix[1].

L'album clôture avec une surprise : une nouvelle chanson signée Jean-Jacques Goldman. « Et je t'aime encore », lancée sur une guitare folk lente, la poésie de notre Goldman national est une douce émotion pour ceux qui se sont attachés à ce duo. L'adaptation anglaise a été écrite par Robert Goldman. Personne ne pouvait s'attendre à une nouvelle collaboration, même pour une chanson. Pourtant, pour les

---

1. Entretien avec l'auteur, août 2019.

plus perspicaces, cela annonce peut-être plus, alors que la diva fait sensation à Vegas.

J'ai trouvé des girolles au marché ce matin
J'aimerais vivre à Rome oh j'aimerais bien
J'ai planté des tulipes elles tardent à éclore
C'est tout je crois, ah oui, je t'aime encore

Une fille et quatre types

À l'automne 2003, un étrange quintette français avec la voix de Céline en avant passe sur les ondes. « Tout l'or des hommes » est le premier single d'un groupe-concept comme rarement il s'en est créé dans la chanson française et même internationale. Groupe rêvé pour les plus « amateurs » de musique puisqu'il réunit Céline Dion, Jean-Jacques Goldman, Erick Benzi, Gildas Arzel et Jacques Veneruso. Au premier abord, le grand public connaît déjà évidemment Céline et Jean-Jacques. Mais qui sont les autres membres d'« une fille et quatre types » ? Comment ces talents ont-ils été réunis ? Présentations :

Erick Benzi est un claviériste français réputé. Depuis une quinzaine d'années, il est l'éminence grise de Jean-Jacques Goldman, étant son réalisateur musical attitré. Auteur-compositeur-musicien né en 1959 à Marseille, il entreprend sa carrière dans le groupe français Canada aux côtés de Gildas Arzel et Jacques Veneruso. Ce groupe sort plusieurs albums au milieu des années 1980 avant de se séparer. Au début des années 1990, Jean-Jacques Goldman fonde le trio Fredericks, Goldman, Jones. À cette occasion et sur la suggestion du guitariste Gildas Arzel, proche de

Michael Jones, Goldman sollicite Benzi pour arranger plusieurs morceaux du futur album. Depuis, Erick Benzi a développé un son personnel, peaufiné son talent jusqu'à avoir une vraie renommée à travers l'Hexagone. Sa signature est souvent gage de succès. Citons plusieurs artistes pour lesquels Benzi a œuvré en tant qu'auteur-compositeur ou réalisateur : Anggun en 1997 avec son tube « La neige au Sahara », Johnny Hallyday avec « Lorada » en 1995, Florent Pagny, Yannick Noah, Roch Voisine, Garou et, bien sûr, Céline Dion et Jean-Jacques Goldman, comme on l'a vu.

Gildas Arzel, lui, est un guitariste-auteur-compositeur breton, né en 1961 en Alsace. Après avoir passé son enfance à voyager avec ses parents, il rentre en France en 1976 à Marseille. Là, il rencontre Erick Benzi et Jacques Veneruso. Ensemble, ils constituent un premier groupe nommé Alenda avec lequel ils jouent pendant six ans à Marseille et sa région. Ils montent ensuite à Paris vers 1982 avec le rêve et l'ambition d'une carrière nationale. Ils prennent alors le nom de Canada. Ils signent un premier contrat chez EMI Music, et deux premiers albums sortent en 1984 et 1985. En 1987, Jean-Jacques Goldman les repère et les invite à faire les premières parties de sa tournée l'année suivante. Arzel fait alors la connaissance du guitariste complice de Goldman, Michael Jones, avec qui il se lie d'amitié. En 1989 sort un dernier single de Canada signé Gildas Arzel : « Ne m'oublie pas ». Il sera repris par Johnny Hallyday sur l'album « Lorada » en 1995. En 1991, après avoir fait intégrer Erick Benzi à la réalisation artistique de l'album « Fredericks Goldman Jones », Gildas participe en tant que guitariste à plusieurs chansons, dont le tube de l'été 1991 « À nos actes manqués ». Cette même année, il démarre une carrière solo avec la sortie de son premier album « Les gens du voyage », inspiré de son enfance. Son style folk mêlant musiques écossaises et celtiques combinées à du rock donne une couleur authentique et à part. En 1993, il est de nouveau guitariste pour Fredericks, Goldman, Jones sur l'album « Rouge ».

En 1994, son deuxième album lui vaut d'être sollicité pour faire les premières parties de la tournée française des légendaires ZZ Top. La même année, il écrit et compose la chanson « Jamais » pour Florent Pagny. Ce titre est interprété en duo avec Johnny Hallyday. C'est là le début de grandes collaborations pour Gildas, désormais reconnu comme un guitariste de grande classe et compositeur à part entière. Citons parmi ses fructueuses collaborations, à ce jour : Garou, Jean-Félix Lalanne, Lara Fabian, Nanette Workman, Roch Voisine, Carole Fredericks ou encore Yannick Noah.

Enfin, Jacques Veneruso est un auteur-compositeur-guitariste-interprète français, né en 1959 en Algérie. Il grandit à La Ciotat, ville du bord de la Méditerranée, située entre Cassis et le département du Var. Après son expérience avec le groupe Canada, que l'on vient d'évoquer, il se concentre sur la création de chansons. Guitariste accompagnateur, il n'a pas l'ambition d'une notoriété de premier plan, mais plutôt de celle d'un *songmaker*. Ainsi, depuis les années 1990 à ce jour, de nombreuses collaborations ont vu le jour sous sa signature. Il coécrit et cocompose la musique de la chanson « Lorada » pour Johnny Hallyday. Sur ce même album, Jacques est l'auteur de deux autres chansons : « Tout feu, toute femme » et « Chercher les anges ». Écrire pour la plus grande star de la chanson française est forcément gage de notoriété en coulisse et auprès des maisons de disques.

Ainsi, on retrouve sa signature sur des albums de Florent Pagny, Carole Fredericks, Anggun ou encore Michael Jones avec la sublime chanson « Le temps fait mentir ». Mais c'est véritablement au début des années 2000 que sa carrière d'auteur-compositeur prend de l'ampleur. Il écrit et compose pour Yannick Noah le tube « Les lionnes » et pour Garou « Je n'attendais que vous » en 2000. En 2001, il fait la connaissance de Céline puisqu'il est l'auteur-compositeur du tube « Sous le vent », chanté en duo avec Garou. Deux ans plus tard, il signe et interprète avec son ami Patrick Fiori la chanson « Marseille », à laquelle participe en toute fin Jean-Jacques Goldman. En cette année 2003, il trouve le succès toujours à travers la voix de Yannick Noah avec les chansons « Ose » et « Mon eldorado ».

Tous se sont donc côtoyés ou croisés durant leur vie d'artiste. Le réel désir de faire tout un album à cinq est plus complexe. Au départ, il y avait bien une commande particulière pour Jean-Jacques Goldman. Ce dernier n'ayant pas le temps de s'y consacrer à 100 % comme en 1995 et 1998, une discussion entre les deux débouche sur un concept :

— Céline souhaitait que je lui écrive des chansons et que je réalise complètement ce nouvel album. Par manque de temps, je l'avais prévenue que je ne pourrais pas prendre tout l'album en charge. L'idée nous est venue de réaliser un vrai travail de groupe. Avec Erick Benzi, Gildas Arzel et Jacques Veneruso, nous sommes devenus les « quatre types[1] » !

Mais Goldman va plus loin dans sa démarche. Il souhaite que chacun ait une visibilité à part entière :

— Je leur ai proposé non seulement cet album, mais

---

1. *Carrefour Savoirs*, octobre 2003.

aussi l'idée de chanter ensemble, de faire des choses plus acoustiques, plus guitare, très vocales, et ça les a intéressés... Et à partir de ce moment-là, je leur ai demandé de me proposer des chansons, voilà[1].

Pour Céline, c'est une aventure inédite à laquelle elle n'avait pas songé, mais qui l'enthousiasme particulièrement. Là encore, ça apparaît comme une surprise, être là où on ne l'attend pas, sans pression. Céline déclare :

— Ça a été un plaisir, du début à la fin. De retrouver Jean-Jacques et ses copains, Jacques, Erick, Gildas, et de chanter à nouveau en français[2]...

Goldman décide d'une ligne musicale très acoustique et sobre. Céline est évidemment l'interprète principale, celle qui capte l'attention de tous, et pour qui tous œuvrent au mieux.

Erick Benzi, qui est le chef d'orchestre de l'album, explique :

— C'est mon troisième album avec Céline et Jean-Jacques. Lorsqu'on écrit pour elle, on sait que sa voix n'a pas de limites. En même temps, on n'est pas obligé de la faire hurler... Cette fois, Jean-Jacques avait l'idée de départ, mais pas toute la matière.

Mais pour Céline, cette fois, pas question d'être au-dessus. Au contraire, elle aime se sentir à égalité, au milieu de ce groupe :

— Je me sens comme si je faisais partie d'un *band*, c'est cool pour moi ! Parce que quand on aime chanter beaucoup, puis qu'on est avec des mecs qui aiment ça autant que nous, c'est partager le plaisir[3] !

---

1. *De Paris à Las Vegas... L'histoire*, documentaire DVD, 2003.
2. *Ibid.*
3. *Ibid.*

Résultat : sur les 13 titres de l'album, 4 sont signés Jacques Veneruso, 4 Erick Benzi, 1 Gildas Arzel, 3 Jean-Jacques Goldman, dont un écrit avec son frère Robert. Ce dernier a également signé une chanson.

Pour Jacques Veneruso, la collaboration avec Céline est un moment particulier qui réserve d'agréables surprises, notamment sur le plan humain :

— Je suis habitué à des artistes qui sont humainement bien, mais là, on est au top. Avec Jean-Jacques et Céline, on ne peut même pas appeler ça du travail. Pour eux, par leur état d'esprit et leur manière d'aborder les choses, qui font que tout se passe agréablement. Humainement, je ne la connaissais pas et j'ai été vraiment séduit par sa personnalité. Elle est numéro 1 mondial et elle est plus simple que beaucoup d'autres qui n'ont fait que le dixième de ce qu'elle a fait[1].

Quant au concept de l'album, le Ciotadin explique :

— Jean-Jacques voulait revenir au naturel. En fait, il souhaitait prendre le contre-pied de tout ce qui se passe autour de Céline Dion : son statut de star, ses shows à Las Vegas, sa carrière américaine... Il a donc fallu essayer de faire passer cette respiration dans l'écriture. En même temps, on sait d'avance qu'avec sa voix, elle ne va pas desservir les chansons.

Pour cet album, Veneruso n'a rien changé à sa méthode :

— Quand j'écris des chansons, je les chante jusqu'à faire comme si j'allais les enregistrer et les sortir moi-même le lendemain. En fait, pour une chanson, il y a celui qui l'écrit et celui qui la chante. J'essaie donc de trouver le meilleur interprète pour mes chansons. Il y a toute une famille d'artistes qui m'attire et, depuis pas mal d'années, j'ai la

---

1. *Carrefours Savoirs*, octobre 2003.

chance de pouvoir choisir. Pour l'instant, je ne me suis pas trompé et je travaille avec des gens comme Florent Pagny, Johnny Hallyday et Garou. Alors, bien sûr, je pense parfois à eux, à ce qui leur irait bien en écrivant, mais pour moi, une chanson existe d'abord par elle-même. L'interprète, si on le choisit bien, va ensuite l'amener à son summum[1].

Jacques Veneruso signe le premier single de l'album, « Tout l'or des hommes ». C'est un des premiers titres qu'il a proposés à Jean-Jacques Goldman : « Tout l'or des hommes », moi, je crois que Jean-Jacques a flashé directement sur cette chanson dès que je la lui ai proposée, parce que visiblement il y a un message dedans qui lui correspond bien... Et puis je crois que c'est une chanson qui devrait faire son chemin !

Et en effet, elle en fait du chemin ! Classé pendant huit semaines numéro 1 au Top québécois et numéro 3 en France, le single se vend à 125 000 exemplaires. Une belle amorce pour cet album atypique.

Erick Benzi, de par sa fonction de réalisateur musical, occupe une place aussi privilégiée que délicate. Quand bien même Goldman a donné l'idée générale du concept, il est celui qui donne la couleur musicale de l'album ; il permet l'addition des talents de chacun qui fait la plus-value.

— J'ai trouvé ça assez amusant l'idée de se dire : « On va faire ce groupe avec elle. » L'idée est donc venue progressivement de faire ce nouvel album en famille. J'ai abordé tout ça très sereinement, parce que je sais que ça se passe toujours super bien avec elle. Elle est débordante de joie, c'est toujours très facile, c'est quelqu'un qui est au-dessus. On a fait des choses qu'on a commencé à préparer pour les lui soumettre et, après, ça s'est fait simplement, entre Paris et Las Vegas. Ce que

1. *Ibid.*

je pense, c'est que l'époque de la galère est passée, l'époque de travailler dur est derrière. Il arrive un moment où l'on n'a rien à se prouver les uns aux autres. Tous les cinq, on a fait chacun un parcours assez conséquent. On a réglé tous nos problèmes d'ego. Pour moi, cet album, c'est la cerise sur le gâteau, c'est juste du plaisir et ça se ressent à l'écoute. Nous avons travaillé en famille et, chacun, dans l'histoire de cet album, est à sa place, chacun fait ce qu'il faut. C'est un régal[1].

Du reste, le Marseillais ne tarit pas d'éloges sur la diva québécoise venue se fondre dans le projet avec joie et bonne humeur :

— Chacun est particulier, chacun a des qualités respectives. Céline, c'est quelqu'un qui apprend très vite. On chante une fois la mélodie, elle la retient immédiatement avec le bon ton. Elle sent la chanson. Le premier enregistrement est souvent le bon. La première fois qu'elle chante peut être tellement magique qu'il ne faut pas hésiter à garder cette voix sur l'album. Il faut savourer ces moments-là parce qu'on sait que ça ne va pas durer longtemps, ça va trop vite. Céline est capable d'enregistrer un album en quatre jours, ce qui est impossible à faire avec d'autres artistes, c'est un phénomène de la nature. C'est toujours intimidant la première fois, quand on n'est pas soi-même un grand chanteur.

Pour Gildas Arzel, « Céline, elle est vraiment une taille au-dessus » ; pour lui, elle s'est glissée dans la cohésion du groupe, au milieu de ses camarades.

Le guitariste explique :

— En fait, ce n'est pas vraiment du sur-mesure. Par exemple, j'ai écrit un blues, c'est plutôt un style qu'elle aime, mais qu'elle ne chante pratiquement jamais. Elle a

---

1. *Ibid.*

retenu la chanson et aborde ainsi quelque chose de nouveau. Par ailleurs, comme Jean-Jacques connaît assez bien les personnalités des artistes, c'est quand même lui qui coordonne tout le travail et établit un cahier des charges. On sait à peu près où on va, mais on essaie surtout de refaire ce qui a fonctionné dans l'histoire de Céline. Le fait qu'on chante sur elle, sur une ou deux chansons, chacun sur un couplet, apporte plein de nouvelles choses à l'album. Il y a également beaucoup de chœurs parce qu'on adore ça, donc, ça sonne vraiment comme un groupe. En fait, le changement se fait dans la continuité, mais très naturellement[1].

Et de préciser :

— L'avantage de travailler à quatre, c'est qu'effectivement personne n'a le poids complet de l'album sur les épaules. C'est très décontractant, chacun fait son boulot et ça évite pas mal de tensions. Comme on est assez calmes et confiants et que, pour l'instant, on a beaucoup de résultats dans notre travail, ça se passe bien. J'ai l'impression qu'on offre aux artistes une petite parenthèse de fraîcheur, car, quand on travaille sur un album, on leur permet d'oublier le poids du marketing et de l'enjeu économique qui sont indissociables des projets de disque importants.

Pour Céline :

— Tout le monde, chaque auteur-compositeur, a sa façon de voir les choses, et je suis là pour essayer de livrer la marchandise le mieux possible[2].

Et ça marche puisqu'elle fascine ces quatre types même avec plus de 20 ans de carrière.

À preuve, Jacques Veneruso :

---

1. *Carrefour Savoirs*, octobre 2003.
2. *De Paris à Vegas... L'histoire*, documentaire, 2003.

— Il faut pas lui faire faire trop de pistes, quand on enregistre, parce qu'on ne sait plus quoi choisir ! Parce que c'est toujours bien, quoi ! Toujours bien, toujours bien...

Pour Erick Benzi :

— Céline, elle est touchée par la grâce, pour moi.

Quant à Gildas :

— Il fallait être à la hauteur de sa voix, tout en lui rendant sa dimension humaine. Las Vegas l'a transformée en diva et, en même temps, elle s'en amuse. C'est ça, en fait, qui la rend fréquentable. Assez surprenante, la dame.

Finalement, l'album se vend à plus d'un million d'exemplaires mondialement. Sept cent cinquante mille rien qu'en France et 150 000 au Canada. Pour ce qui est d'une tournée à cinq, c'est compromis dans la mesure où Céline est en résidence à Las Vegas. Si elle s'octroie une vingtaine de jours de congé par an, cela reste trop peu pour envisager un tel projet de tournée. Toutefois, cette idée laisse rêveur :

— Je suis prêt à tout ! affirme Gildas Arzel. Si la question est : « Si Céline partait en tournée française, est-ce que tu la ferais ? » Oui, parce que c'est un bon moment, une expérience, ça ne peut pas faire de mal.

Pour Céline, c'est une évidence :

— J'aurais aimé partir en tournée avec eux, avec ma petite valise, trois tee-shirts et puis une paire de jeans, faire vraiment tout ce que j'ai pas fait, ce que j'ai jamais fait, dans le fond[1] !

Tout l'or des hommes ne vaut plus rien, si tu es loin de moi
Tout l'amour du monde ne me fait rien, alors surtout ne
change pas

---

1. *Ibid.*

L'opération a fonctionné et créé le buzz médiatique à la hauteur des espérances de la maison de disques. C'est clair qu'en 2003, il y avait de la place pour un tel événement. Johnny Hallyday marque l'année avec son single « Marie », écrit et composé par Gérald De Palmas. Cette même année, on peut citer également Florent Pagny avec « Ma liberté de penser », pièce composée par Pascal Obispo et écrite par le talentueux parolier Lionel Florence.

En 2003, c'est aussi l'émergence d'artistes issus de télé-crochets. Depuis 2001, ce concept, illustré par *Star Academy*, *Popstars* ou *Nouvelle Star*, donne au public le pouvoir de choisir les stars de demain. Grâce à un mode de vote interactif, le téléspectateur participe au programme, ce qui est alors totalement inédit dans l'histoire de la télévision et de la chanson. Ainsi, cette année-là, Jenifer, Chimène Badi et Nolwenn Leroy sont les premières gagnantes de ces nouvelles émissions-concours. Grâce à ce concept, leurs carrières sont lancées et bénéficient d'un élan médiatique fulgurant. Toutefois, cela ne fonctionne réellement que pendant quelques années, avant que le public ne se lasse et s'en détourne.

Après son aventure « une fille et quatre types », Céline poursuit sa résidence dans le Nevada, où le Colosseum ne désemplit pas. Mais la fin d'année 2003 s'achève par un drame personnel qui la marque à jamais...

9

L'étoile
d'Hollywood Boulevard

L e dimanche 30 novembre 2003, peu avant 10 h, Adhémar Dion, le père de Céline, rend son dernier souffle dans son sommeil. Il avait 80 ans et luttait contre un cancer des os. C'est un patriarche discret qui s'éteint à son domicile de Laval. Il laisse en deuil son épouse Thérèse ainsi qu'une famille forte de 14 enfants, 30 petits-enfants et 11 arrière-petits-enfants. La nouvelle crée l'émoi dans la ville et la région. Le soir même, Céline décide quand même de monter sur scène malgré la douleur. Elle annonce à son public l'épreuve qu'elle doit traverser avec pudeur mais détermination, rappelant l'impact de son père :

— Ça a été un jour difficile pour moi. J'ai perdu mon père ce matin. J'ai insisté pour venir. Mon père était mon plus grand fan, depuis que je suis toute petite. Et je sais que mon père aurait voulu que je sois là ce soir sur scène, avec tous ceux que j'aime. À faire ce qu'on aime. On se croit toujours si fort. Mais je sais qu'il est là. Et ce soir, je donnerai le meilleur de moi-même. Je donnerai tout ce que j'ai. Je voudrais dédier ce spectacle à mon père.

Un discours tout en dignité qui montre, au-delà des strass et des paillettes de Vegas, la nature profonde de l'éternelle petite fille de Charlemagne.

Fabienne Thibeault observe :

— Céline est une star internationale et c'est une Canadienne française d'abord et avant tout ! Le terme « Québécois » est actuel, parce que nous sommes canadiens-français. Nos grands-pères, à Céline et moi, quand ils parlaient d'eux disaient bien : « Je suis canadien-français. » Céline est une personne très simple de nature, issue d'une famille nombreuse, et ça, je pense que c'est quelque chose d'enchanteur. Et dans sa tête, elle n'a jamais oublié et elle n'oubliera jamais. [...] Mais c'est aussi en ce sens qu'elle nous représente de façon aussi magistrale au-delà de son talent, par sa nature et sa façon d'être. Et ça, personnellement, au-delà de son talent pour lequel j'ai une admiration sans bornes, je tiens à la remercier. J'ai une grande admiration pour toute sa façon d'être. Elle aurait pu l'abandonner, mais ça, c'est propre aux Canadiens français[1].

Céline a la fibre familiale. Une famille soudée qui n'a cessé de la soutenir dès le plus jeune âge. Poursuivre, c'est accomplir son rêve et celui des siens. C'est ne pas renoncer à son destin. Elle le fera avec hargne et détermination.

Alors, elle va poursuivre son but, sa mission, donner du rêve aux gens en chantant.

En janvier 2004, la Chambre de commerce de Los Angeles honore la star québécoise : elle lui offre une étoile à son nom sur la célèbre Hollywood Walk of Fame. Cette

---

1. Entretien avec l'auteur, juillet 2019.

institution voit le jour en 1958. Elle vise à rendre hommage aux personnalités du show-business. À l'origine, il y avait 2500 étoiles vides. En quelques mois, plus de 1500 ont été décernées. Ce sont environ deux étoiles par mois qui sont attribuées. En 1978, Walk of Fame est classé monument historique par la mairie de Los Angeles. Chaque nouvelle étoile fait l'objet d'une cérémonie d'intronisation dans les cinq ans qui suivent l'attribution. À ce jour, ce sont quelque 2600 personnalités qui ont eu l'honneur de connaître cette consécration, parmi lesquelles : Marlon Brando, Louis Armstrong, The Beach Boys, Julie Andrews, Chuck Berry, Michael Jackson, les Beatles et tant d'autres. Céline entre donc dans ce cercle restreint, unique au monde, son nom désormais gravé dans le marbre californien.

Au printemps, un nouveau single paraît : « You and I ». Il annonce la sortie le mois suivant d'un album live : « A New Day in Las Vegas ». Il s'agit de la captation de son spectacle de résidence au Caesars Palace. Composé par Aldo Nova et écrit par Jacques Duval, il est enregistré au studio Masterplan. Cette chanson pop-variété, orchestrée autour des guitares et revêtant des sonorités dans l'air du temps, donne l'inspiration à plus d'un. Ainsi, quelques mois plus tard, la compagnie d'aviation Air Canada se l'approprie pour sa nouvelle campagne publicitaire. Trois ans après, c'est l'illustre Hillary Clinton, ancienne première dame des États-Unis, devenue candidate à l'investiture du parti démocrate, qui emprunte « You and I » comme hymne de campagne.

You and I were meant to fly
Higher than the clouds we'll sail across the sky
So come with me and you will feel

That we're soaring
That we're floating up so high
Cause you and I were meant to fly

L'album « A New Day in Las Vegas » ne fait pas vraiment recette. Il se vend à tout juste 500 000 copies aux États-Unis et à peine 50 000 au Canada. Pourtant, outre « You and I », un autre inédit figure dans la *playlist* : « Ain't Gonna Look the Other Way ». Le produit a été bien réfléchi et travaillé. D'ailleurs, un album *live* du spectacle de Las Vegas ne peut pas être une surprise. Mais alors que peut traduire ce recul des ventes ? Une désertion subite des fans ? Une lassitude du public ? Rien qui inquiète vraiment René Angélil et Céline. D'autres projets sont prévus et ce n'est pas un semi-échec qui va les perturber. Bien au contraire, car les honneurs se présentent à la rentrée.

La nouvelle étoile

Le 15 septembre, l'acteur Michael Douglas, oscarisé meilleur acteur en 1988 pour son rôle dans le film *Wall Street*, remet à Céline le trophée de Chopard Diamond Award. Ce prix, créé en 2001, récompense un artiste ayant vendu plus de 100 millions d'albums. Lors des World Music Awards, l'acteur n'hésite pas à sacrer Céline « artiste féminine ayant vendu le plus de disques de tous les temps ». Ils sont aujourd'hui cinq artistes à avoir reçu ce prix : Rod Stewart, Mariah Carey, Michael Jackson, Bon Jovi et les Beatles. Lors de cette cérémonie, Céline chante « Love Can Move Mountains » (« L'amour peut déplacer les montagnes ») comme une dédicace à plus d'un titre.

Mais cette cérémonie est aussi marquée par le retour de Whitney Houston. La diva américaine, devenue mondialement célèbre pour sa chanson « I Will Always Love You » (du film *Bodyguard*), émeut toute l'assistance et les millions de téléspectateurs à travers le monde. Céline en est la première touchée et le fait savoir avec sa spontanéité légendaire : lors de la conférence de presse qui suit son prix et sa performance, elle voit sur un écran Whitney Houston qui est sur scène. Elle interrompt alors subitement les questions des journalistes pour monter le son et entonner les paroles de Whitney Houston. Assise par terre près de l'écran, elle confie son admiration pour son homologue américaine :

— C'est un nouveau départ pour elle, elle a travaillé dur.

Elle qui n'a pas vacillé en plein succès, elle qui n'a pas sombré dans les dérives, témoigne ici toute l'estime et l'empathie qu'elle a pour Houston. Deux succès fulgurants et pourtant deux parcours de vie radicalement différents.

Le 12 octobre 2004 sort un nouvel album-concept : « Miracle ». C'est un coffret composé d'un CD de huit chansons originales et cinq reprises. Un livre de 180 pages et 80 photos. Pour les plus grands fans, un DVD documentaire de cette expérience est également du package, c'est selon. Concept imaginé avec la photographe australienne Anne Geddes. Née en 1956 dans le Queensland, en Australie, elle connaît une notoriété mondiale en se spécialisant dans la photographie de bébés. Son travail a totalement conquis Céline, dont la sensibilité maternelle n'a fait que croître depuis la naissance de René-Charles. Ainsi, cet album est une ode à l'amour et la maternité.

Les deux femmes se sont rencontrées quelques années auparavant et se sont liées d'amitié. La passion commune qu'elles partagent pour les nouveau-nés les a réunies au fil des mois pour élaborer ce projet. Si la photographe appréhendait les séances photo, car Céline n'est pas une personne lambda, elle a vite su reprendre le dessus. Céline s'est mise totalement à la disposition d'Anne et a suivi ses directives à la lettre.

— Céline a vraiment un grand cœur, avec beaucoup d'affection pour les nouveau-nés. Ceci est constamment visible à travers les images, estime Anne Geddes.

Sur les séances de photo en studio, elle est en parfaite harmonie avec sa partenaire : Céline a « une telle présence, une telle aura féminine, intense ». Anne la trouve fantastique. Pour la photographe, ce projet « Miracle » est sa manière de partager la joie que les bébés lui apportent, et de témoigner du « potentiel merveilleux de chaque enfant ».

— Tous les bébés sont si précieux, si riches, et méritent toute l'attention aimante et le respect que nous pouvons leur apporter[1].

Pour Céline, le bébé « est la seule chose qui compte[2] ».

Sur le plan musical, le titre « Miracle » tient uniquement au ressenti des deux femmes : miracle de la vie nouvelle. Les chansons qui composent l'album ont une signification particulière pour Céline. Elles représentent la connexion « universelle » entre une mère et son enfant. Le disque est entièrement produit par David Foster, que Céline retrouve pour la première fois depuis 1999. La chanson éponyme a été écrite par Linda Thompson, qui avait précédemment participé à l'album « Let's Talk About Love ». Au départ, composée par Steve Dorff, cette chanson a été créée en 2001 et était prévue sur l'album « A New Day Has Come »,

---

1. Interview 2004.
2. *Ibid.*

pour fêter la naissance de René-Charles. Finalement, elle trouve totalement place sur ce projet à thème.

On remarque la belle reprise de « What a Wonderful World », standard du patrimoine musical américain. Créée en 1958, à l'origine, cette chanson est interprétée par Louis Armstrong. Sa version est une référence, elle sera empruntée comme illustration sonore pour de nombreux films et autres médias. Elle connaît un regain de popularité en 1988 lorsqu'elle est utilisée pour le film *Good Morning Vietnam*, avec Robin Williams. Céline s'attaque là à un joyau national, à ses risques et périls. Le premier single est « Beautiful Boy » de John Lennon, assez étonnamment. On ignorait jusqu'à présent la fibre Beatles chez la diva, mais sa force est justement de prendre une œuvre et de l'interpréter à sa façon, en en faisant quelque chose de neuf. D'ailleurs, ça marche puisque la critique qualifie cette version de véritable « joyau inattendu » et elle encense la diva, la qualifiant d'« artiste hors du temps ».

You're a beautiful boy
With all your little ploys
Your mind has changed the world
And you're now forty years old
You got all you can carry
And still feel somehow empty
Don't ever be afraid to fly

On trouve aussi « The First Time Ever I Saw Your Face » (« La première fois que j'ai vu ton visage »). Chanson écrite et composée par Ewan McColl en 1957, c'est au départ une commande de son épouse, l'artiste Peggy Seeger, qui cherche des chansons pour une production théâtrale. Le succès ne viendra que 15 ans plus tard, en 1972, quand Roberta Flack l'enregistre dans une version soul pour la bande originale du film *Un frisson dans la nuit*, avec Clint Eastwood.

Son auteur marque sa surprise :

— Ce n'est que lorsque Roberta Flack a enregistré sa version soul de la chanson que je me suis rendu compte que j'avais écrit un *hit* commercialement réussi. Au début, je n'avais pas réalisé à quel point c'était une réussite. J'étais dans la mi-cinquantaine et avais vécu au jour le jour presque tout au long de ma vie. Je ne suis pas sûre que la gloire et la fortune aient jamais figuré dans mes rêves[1].

Le tube est récompensé du Grammy Award de la « chanson de l'année 1973 » et de nombreuses reprises seront faites, depuis sa consécration à nos jours. On peut citer Elvis Presley, Johnny Cash, Harry Connick Jr, Marianne Faithfull ou encore Lauryn Hill (chanteuse des Fugees).

À noter aussi la chanson de Jean-Jacques Goldman « Je lui dirai », qui figure sur la version française de l'album. La chanson évoque les origines de René-Charles, à travers l'Orient de son père et la campagne québécoise de son grand-père. Ce mélange des racines qui fait ce que l'on est. « Le loup, la biche et le chevalier » d'Henri Salvador est également sur le disque, tout comme « If I Could », morceau originellement chanté par Ray Charles. Hasard ou pas, le légendaire artiste noir américain vient de décéder le mois précédent à l'âge de 73 ans. Cette chanson est une dédicace personnelle de Céline à son mari René et leur fils. Finalement, c'est un album composé de berceuses qui ne provoque pas de raz-de-marée sur le plan commercial. Il est

---

1. *Telegraph*, octobre 2015.

même l'album anglais de Céline qui se vendra le moins bien. Deux millions d'exemplaires à travers le monde, seulement, dont un million aux États-Unis. En France, c'est tout juste 150 000 copies. Peut-être le thème est-il trop « naïf », au point de provoquer la lassitude du public.

Pourtant, en 2004, il y a toujours de la place. Calogero assied son ascension dans la grande famille des auteurs-compositeurs-interprètes français avec son tube « Si seulement je pouvais lui manquer ». Roch Voisine fait un retour sensationnel avec sa chanson « Tant pis ». Le compatriote québécois de Céline renoue avec le succès en France après plus de 15 ans. Tout est permis.

Faut-il revoir le fond artistique ? Toujours est-il qu'une nouvelle fois, Céline a fait ce qu'elle voulait et n'a été dirigée que par le plaisir de chanter, sans pression, des œuvres qu'elle admire. Cependant, les années s'écoulent. Les triomphes passés et l'ascension de 1998-1999 commencent à s'éloigner. Cela a de quoi donner raison aux critiques qui dès le début de la décennie paraissaient lui faire barrage, ne voulant pas lui laisser de place dans la nouvelle ère. Mais la liberté acquise par Céline ne semble pas la faire dévier. Elle reste fidèle à ce qu'elle est, sans se dénaturer pour entrer dans les cases, et grand bien nous fasse.

En 2005, il n'y a pas réellement de projet artistique, mais une compilation référence qui sort dans les bacs : « On ne change pas ». Un titre évocateur à bien des égards. Cela contribue à maintenir une visibilité chez les disquaires et dans les rayons spécialisés chez les grands distributeurs. C'est aussi, pour le fan collectionneur, un nouvel objet qui s'ajoute. Mais loin de prendre le consommateur pour le dindon de la farce, elle propose des chansons inédites.

C'est le cas de « Je ne vous oublie pas », premier single de promotion de ce coffret CD exceptionnel. Les paroles sont signées Jacques Veneruso, qui faisait partie des « quatre types », comme on l'a vu précédemment. C'est une déclaration d'amour, de la part de la diva, dédiée à tous ses fans. Une façon de leur dire que malgré les strass de Las Vegas qui l'ont éloignée depuis deux ans, elle n'oublie pas pour autant ses fans à travers le monde. Pour sa promotion, l'artiste vient en France et assure les plateaux télévisés où elle interprète « Je ne vous oublie pas ». Cela faisait trois ans que le public français ne l'avait pas revue ; sa présence contribue aux fortes ventes de l'album compilation.

Il n'y a décidément pas de secret en matière de promotion : il faut être présent. La preuve, « On ne change pas » se vend à 600 000 exemplaires en France et 1,2 million à travers le monde. Il est même classé longtemps numéro 2 du Top. Un retour sur le devant de la scène qui doit rassurer René et Céline quant à sa popularité dans l'Hexagone. La chanson « Je ne vous oublie pas » reçoit au Québec, quelques mois plus tard, le prix Félix de la « meilleure chanson de l'année 2006 ».

Je ne vous oublie pas
Non, jamais
Vous êtes au creux de moi
Dans ma vie, dans tout ce que je fais
Mes premiers amours, mes premiers rêves
Sont venus avec vous
C'est notre histoire à nous

Le second single de promotion de la mégacompilation est un duo interprété avec le quatuor d'opéra classique

Il Divo. Ce groupe a la particularité de réunir quatre chanteurs de nationalités différentes. Ainsi, il se compose de l'Américain David Miller, du Français Sébastien Izambard, du Suisse Urs Bühler et de l'Espagnol Carlos Marin. Formé en 2003 par le producteur britannique Simon Cowell, Il Divo (traduisez « le divo », masculin de « diva ») devient un phénomène dès la sortie du premier album. Les premiers disques sont principalement faits de reprises réaménagées à leur façon. Le rendu est assez bluffant et a l'avantage de faire entrer l'opéra dans le XXIe siècle.

La collaboration avec Céline se fait autour du titre « I Believe in You », qui a également une version française « Je crois en toi », dont les paroles sont de Luc Plamondon. Il figure d'une part sur l'album « On ne change pas » de Céline, et d'autre part sur l'album « Ancora » d'Il Divo, sorti également à l'automne 2005. Notons que ce dernier contient une version épatante de « Pour que tu m'aimes encore », tout comme « All by Myself », morceau que Céline avait remis au goût du jour. C'est la troisième fois que Céline collabore avec un artiste d'opéra, après Luciano Pavarotti et Andrea Bocelli en 1999. Ce duo particulier ne dépasse pas la 30e position des charts, que ce soit en France ou aux États-Unis. La chanson figure tout de même dans la *playlist* officielle de la Coupe du monde de football 2006.

En cette année 2005, le président de la République française Jacques Chirac décerne la Légion d'honneur à Céline Dion. Une distinction honorifique assez rare pour une Québécoise. Toutefois, la cérémonie de remise n'aura lieu qu'en mai 2008 par le président Nicolas Sarkozy, élu un an plus tôt.

Ce jour-là, Céline est particulièrement émue et déclare :

— Se voir remettre la Légion d'honneur, dans ce Palais de l'Élysée et de vos mains, Monsieur le Président, est un honneur bien important pour une petite Québécoise de Charlemagne comme moi. Cela prend un sens et des proportions qu'il est difficile d'exprimer.

De son côté, le président Sarkozy souligne :

— L'amour, qui tient une place essentielle dans votre vie, est très présent dans votre parcours artistique. Il n'y a qu'une seule façon d'aimer : aimer totalement. L'amour, il ne doit pas y avoir d'impudeur à le partager ; ça donne une certaine fraîcheur. Le Québec, ce sont nos frères, le Canada, ce sont nos amis. Nous avons besoin des deux[1].

Est-ce pour cela que le mois suivant, à l'occasion de la Fête de la musique, Céline soutient publiquement la candidature de Paris pour être la ville organisatrice des Jeux olympiques d'été de 2012 ? Peut-être... Pour appuyer sa démarche, c'est naturellement en chanson que Céline l'exprime. Elle enregistre le célèbre titre « À Paris », de Francis Lemarque, datant de 1946. Malgré ce soutien de taille, la capitale française ne sera pas le choix du Comité olympique qui lui préférera Londres.

En 2006, il se murmure ici et là qu'un nouvel album-concept serait en projet. Mais, pour l'heure, rien de plus. Céline honore son contrat au Colosseum avec brio et ne laisse rien paraître d'un possible grand retour. Elle chante en duo avec sir Elton John pour un concert de bienfaisance, en février à Las Vegas. Le but est de récolter des fonds pour des travailleurs touchés par un ouragan l'année précédente. La présence des deux légendes ensemble est assez rare pour être soulignée, mais s'arrête là.

---

1. *Libération*, 23 mai 2008.

Plus tard, elle apparaît toutefois dans une collaboration surprenante. Un duo inattendu avec Marc Dupré, un artiste québécois né en 1973. Il se fait d'abord connaître par ses talents d'humoriste, lesquels lui permettent de participer au prestigieux festival *Juste pour rire*. En plus de ce duo étonnant, Céline signe pour la première fois la composition d'une musique de chanson. Toutefois, lorsqu'on y regarde de plus près, outre la vraie surprise de voir Céline compositrice, il n'y a rien de vraiment extraordinaire. La chanson a, en réalité, été composée en 2000 à l'occasion d'un événement privé : le mariage de Marc Dupré et Anne-Marie... Angélil ! La fille de René Angélil et Anne Renée. À l'occasion de son premier album, l'artiste québécois, désormais chanteur, demande à sa « belle-mère » par alliance de bien vouloir enregistrer la chanson avec lui, ce qu'elle accepte avec plaisir.

Sortie en avril, la chanson est un tube au Québec. À l'occasion de la tournée de Marc Dupré, les deux artistes la chantent en *live* au Théâtre Lionel-Groulx, de Sainte-Thérèse, au Québec. À l'automne, Céline et Marc reçoivent ensemble le prix de la SOCAN[1] en tant qu'auteur-compositeur. C'est la première fois que Céline reçoit une récompense en tant que compositrice de musique. La collaboration avec Marc Dupré se poursuivra autrement, plus tard, mais ce duo aura eu l'immense mérite de le lancer auprès des médias. Il sera coach à divers télé-crochets, comme *The Voice* au Québec, traduit en *La Voix*, et diverses collaborations seront à son actif.

Toujours en avril, Céline figure dans la bande originale du nouveau film animé *Astérix et les Vikings*. La chanson

---

1. Société canadienne des auteurs, compositeurs et éditeurs de musique, équivalent de la SACEM en France.

« Tous les secrets » est composée par Jacques Veneruso et produite par Kristian Lundin. C'est le huitième long-métrage d'Astérix, légendaire personnage gaulois créé par René Goscinny et Gilbert Uderzo en 1959. Si « Tous les secrets » est la chanson-thème, la musique du film a été composée entièrement par Alexandre Azaria. Ancien guitariste-compositeur du groupe Indochine dans les années 1990, il s'est depuis pleinement tourné, avec réussite, vers la composition de musiques de film[1].

L'année défile et s'écoule comme un fleuve tranquille, ce à quoi aspire Céline depuis sa maternité et son entrée en résidence à Vegas. Très vite cependant, un événement musical voit le jour sous un concept inédit...

---

1. Voir *Indochine, la véritable histoire*, Thomas Chaline, City Éditions, 2018.

10

S'il n'en reste qu'une

— Lorsque je l'ai entendue la première fois, j'ai été totalement émerveillée !

C'est en ces termes que s'exprime l'écrivaine Françoise Dorin quand elle évoque Céline Dion. Née en 1928 à Paris, elle débute par une carrière de comédienne aux côtés de Roger Hanin (futur commissaire Navarro) au théâtre des Deux-Ânes. Puis, après avoir écrit ses premières pièces de théâtre, elle présente en 1969 l'émission de télévision *Paris-Club*, où elle fait sensation. Dans les années 1970 et au début des années 1980, sa notoriété est à son apogée grâce à ses pièces *La facture*, *Un sale égoïste* ou encore *Le tournant*.

Elle bifurque ensuite pleinement dans l'écriture de romans : en 1976, *Va voir maman, papa travaille* est un énorme succès. Plus tard, en 1981, *Les lits à une place* est un best-seller dépassant le million d'exemplaires vendus. Outre une vingtaine de romans et des pièces de théâtre à succès, elle est aussi une parolière de chansons remarquée. Ainsi, elle signe les paroles de « Que c'est triste Venise », dont la musique est composée par Charles Aznavour. Elle écrit également les paroles de la chanson « N'avoue jamais », qui est chantée lors du concours de l'Eurovision en 1965 par Guy Mardel. Au fil du temps, ses chansons trouvent des interprètes de renom tels Juliette Gréco, Claude François, Richard Anthony, Mireille Mathieu ou encore Tino Rossi.

En 2007, elle apparaît dans les crédits de l'album « D'elles » que sort Céline Dion. L'auteure, faisant déjà partie du patrimoine de la chanson, signe pour la diva québécoise le premier single « Et s'il n'en restait qu'une (je serai celle-là) ». Sorti le 1ᵉʳ avril, il annonce la sortie d'un album-événement un mois plus tard.

Son titre « D'elles » s'explique en raison du concept : toutes les paroles des chansons sont écrites par des écrivaines. Il fait écho à l'album de 1995 « D'eux ». À la coordination artistique, on retrouve Jean-Jacques Goldman, toujours présent pour son amie. Même s'il n'écrit aucune chanson pour l'album, il supervise le projet.

Céline explique la genèse de ce projet particulier :

— C'est un album-concept extraordinaire parce que, en 25 ans de carrière, j'ai travaillé en quasi-majorité qu'avec des hommes. Ma carrière a débuté avec Eddy Marnay, j'ai continué avec Luc Plamondon, j'ai travaillé avec Jean-Jacques Goldman, donc que des hommes en tant qu'auteurs-compositeurs. Ce concept-ci, ce n'est que des femmes. C'est un album rempli d'émotions écrit du début jusqu'à la fin avec des auteurs, artistes féminines, des écrivaines exceptionnelles. Et heureusement, pour faire exception aux femmes, Jean-Jacques Goldman avec un œil artistique et surtout amical a bien voulu se prêter au jeu des femmes pour m'aider à révéler cet album.

» Je pense qu'à travers chaque femme on parle bien sûr d'amour. J'aurais pas pu me passer sur cet album de parler d'amour. C'est un album qui va intéresser beaucoup les hommes parce que de toute façon on parle des femmes. Alors, si on parle des femmes, ce n'est pas uniquement un album dédié aux femmes. C'est écrit par des femmes, chanté par une femme, mais je suis persuadée que tous les hommes amoureux des femmes seront intéressés de l'écouter[1].

Les musiques sont composées en grande partie par les « quatre types », à savoir Jacques Veneruso, Erick Benzi et Gildas Arzel. Toutefois, Goldman a élargi et ouvert le cercle à d'autres compositeurs : David Gategno signe celle du premier single « S'il n'en restait qu'une (je serai celle-là) ». Né en 1969, il connaît la célébrité dans les années 1980 en faisant partie du duo David et Jonathan. Ainsi, il co-interprète plusieurs tubes de l'été 1987 et celui de 1988, qui restent gravés dans l'histoire des hits français. C'est le cas de « Est-ce que tu viens pour les vacances ? », signé avec Didier Barbelivien. Après ce duo, il poursuit dans la composition de musique. Il réalise plusieurs génériques d'émissions télévisées, notamment pour Christophe Dechavanne. Au début des années 2000, il collabore avec la nouvelle génération d'artistes comme Nolwenn Leroy (« Cassée », 2003), Natasha Saint-Pier, Garou, Chimène Badi. Enfin, il obtient du succès avec « Aimer jusqu'à l'impossible » et « Je m'appelle Bagdad » interprétés en 2005 par Tina Arena.

Composer pour Céline Dion apparaît comme l'aboutissement et la récompense de près de 20 ans de travail. D'ailleurs, le single « S'il n'en restait qu'une (je serai celle-là) » se classe premier du Top en France pendant plusieurs semaines et est certifié double disque de platine. Il sera le

---

1. *Céline parle d'Elles*, documentaire, 2007.

dernier succès de son auteur Françoise Dorin, décédée en 2018 à l'âge de 89 ans. Sur « D'elles », Gategno signe deux autres chansons : « Je ne suis pas celle » (dont les paroles sont de Christine Orban) et « Berceuse » (écrite par Janette Bertrand, journaliste, comédienne et femme de lettres québécoise).

> *S'il n'en restait qu'une*
> *Pour bêtement tracer*
> *Sur le sable des dunes*
> *Deux cœurs entrelacés*

Le second single de promotion est « Immensité ». Il est composé par Jacques Veneruso, et les paroles sont écrites par Nina Bouraoui. Cette écrivaine d'origine algérienne née en 1967 a eu du succès dès son premier roman, *La voyeuse interdite*, publié par Gallimard en 1991. Deux ans plus tard, son poème *La nuit de plein soleil* fait l'objet d'une adaptation en chanson par les Valentins. Enfin, en 2005, son roman *Les mauvaises pensées* est récompensé du célèbre prix Renaudot.

— Céline Dion fait partie de notre mémoire amoureuse puisque ses chansons parlent souvent d'amour, estime-t-elle. Pour moi, elle a toujours habité ma vie puisque j'adore la musique. Et elle m'a toujours été extrêmement familière[1].

Elle écrit pour la diva québécoise un texte reflétant, poétiquement, assez bien et son univers et sa culture :

— Concernant le sujet de la chanson, je me suis dit que j'allais faire entrer mon univers dans l'univers de Céline Dion. Mais avant tout j'écrivais pour elle, donc, je me suis

---

1. Interview *CD aujourd'hui*, 2007.

effacée. Il fallait être émouvante en 3 minutes, ce qu'on fait d'habitude en 300 pages[1].

C'est assez bien réussi tant le texte rime à merveille et est parfaitement rythmé. Nina Bouraoui emploie des mots puissants qui savent toucher le cœur et l'âme. Elle évoque les fracas du monde et ses merveilles, l'amour, la sensualité, l'exotisme et la nature. « Immensité » est l'une des plus belles chansons de l'album et sans doute de l'œuvre complète de Céline Dion. Depuis cette première expérience, la romancière a renouvelé des collaborations en tant que parolière, notamment pour Sheila, Garou ou Chimène Badi. Toutefois, Céline gagnerait à la solliciter plus souvent tant sa plume lui va parfaitement.

> *Mais ce qui me renverse tu sais*
> *C'est tout l'éclat de tes baisers*
> *Tous les désirs, tous les sursauts*
> *Comme des étoiles sur ma peau*
> *Comme l'Immensité*

Notons la présence de la femme de télévision québécoise et journaliste Denise Bombardier. Auteure de plusieurs romans, elle écrit les paroles de « La diva », titre composé par Erick Benzi. Plus tard, elle signera une biographie sur Céline après l'avoir accompagnée en tournée. « La diva » rend hommage à Maria Callas. Légendaire cantatrice d'opéra grecque, née en 1923, elle eut une vie digne d'un roman tant elle suscita les passions. Elle a tout donné pour le chant, mis en berne sa vie sentimentale et est devenue l'icône par excellence de ce qu'est une « diva ». Épuisée moralement et

---

1. *Ibid.*

physiquement, elle décède dans son appartement parisien en 1977 à l'âge de 53 ans. Les causes de sa mort, qui furent le fruit de nombreuses spéculations, alimentent sa légende et contribuent au mythe. Un hommage humble et majestueux de Céline, à la malheureuse diva, alors qu'elle-même traverse la vie comme un rêve éveillé.

Plus étonnant encore, la présence de George Sand en tant que parolière. Qui peut se prévaloir d'avoir eu les talents et la collaboration de cette écrivaine du patrimoine de la littérature française ? Personne. C'est une grande première. Personnalité intellectuelle et politique du XIXᵉ siècle, femme de lettres qui eut assez de génie pour voler la vedette au célèbre *Notre-Dame de Paris* de Victor Hugo avec son premier roman *Indiana* en 1832, ex-amante du compositeur Frédéric Chopin et de l'écrivain Alfred de Musset, George Sand disparaît en 1876 dans son domaine, le château de Nohant-Vic. Là encore, c'est un bel hommage que d'adapter cette romance historique au travers d'une de ses nombreuses « lettres à Alfred de Musset ». Le symbole de George Sand, dans un album-concept où seules des écrivaines ont écrit les paroles, est assez fort pour être souligné.

L'album se vend à environ 500 000 copies dans le monde, dont un timide 280 000 en France. En deçà des ambitions du projet. Toutefois, cet album a le mérite d'exister. Serait-ce le paysage musical français en pleine effervescence qui brouille les pistes et empêche de meilleures ventes ? Peut-être, car en France, de nouveaux visages apparaissent. C'est le cas de l'étonnant Christophe Maé, issu de la comédie musicale *Le Roi Soleil* dans laquelle il se révèle de 2005 à 2006. En 2007, il sort son premier album solo et un phénomène naît. Les succès s'enchaînent en quelques mois, notamment « On s'attache », « Parce qu'on sait jamais »,

« Ça fait mal ». Un univers musical imprégné de reggae, de zouk et de chanson française qui permet à Maé de vendre plus de 1,5 million d'exemplaires en quelques mois.

C'est aussi l'arrivée sur la grande scène de Christophe Willem, gagnant du télé-crochet *Nouvelle Star*. Sa voix aiguë, aux tonalités féminines, séduit fort le grand public qui le plébiscite. En 2007, son premier album, comprenant les tubes « Jacques a dit » et « Double je », se vend à près d'un million d'exemplaires et reste pendant huit semaines numéro 1 des ventes. Il est récompensé aux NRJ Music Awards pour le « meilleur album francophone de l'année ». Le tube « Double je » reçoit lors de la même cérémonie le prix de « chanson de l'année » ; quant à Christophe Willem, il est sacré « révélation française ». Les générations se renouvellent, c'est le sens de la vie musicale et c'est très bien ainsi.

Mais Céline et son équipe ont toujours su trouver les ressources artistiques pour rebondir. Si l'album-concept « D'elles » ne remporte pas le succès espéré, il en faut plus pour pousser Céline à se retirer de la scène musicale, que ce soit en France ou à l'étranger. À l'automne 2007, elle fait une démonstration qui le prouve bien.

Taking chances

Pendant l'été 2007, Céline entre dans les studios Henson Recording d'Hollywood. Il semblerait que l'artiste québécoise reprenne de bonnes vieilles habitudes et un rythme régulier sur l'enregistrement en studio. Après son break de début du siècle, une remise en route sur la voie de son destin se dessine. Mais sortir un album par an est un rythme assez lourd. Supportable lorsqu'on a 20 ans, un peu plus compliqué passé la trentaine et avec de surcroît une famille à gérer. Toujours est-il que les choses s'accélèrent.

Fin septembre, un single en anglais est diffusé sur les ondes : « Taking Chances ». Cette chanson est née du duo Platinum Weird, composé de l'artiste Kara DioGuardi et du guitariste-compositeur Dave Stewart. Né en 1962 au Royaume-Uni, Stewart a du succès dans les années 1980 grâce à Eurythmics, sa formation avec la chanteuse Annie Lennox. Groupe phare de la scène anglaise des années 1980, il se dissout en 1992 et chacun de ses membres poursuit la musique de son côté. Stewart refonde un groupe : Dave Stewart and the Spiritual Cowboys. Le succès n'est plus aussi considérable que durant les années Eurythmics, mais Stewart a une notoriété telle qu'il est régulièrement sollicité pour des collaborations diverses.

« Taking Chances » est à la base une chanson originale que Platinium Weird devait faire figurer sur son propre album éponyme. Mais ce dernier ne voit pas le jour. René rencontre Dave Stewart qui lui fait écouter cette chanson. René accroche tout de suite en pensant qu'elle correspondrait bien à Céline. Après accord, Céline l'enregistre rapidement. Un passage de la chanson fait un clin d'œil à la chanson d'Eurythmics « Here Comes the Rain Again » en reprenant un vers identique : « Parle-moi comme des amants ».

Le titre est remarqué dès sa sortie, mais a du mal à se hisser dans les hauts des charts. Il entre néanmoins dans plusieurs Top 10, notamment en France et au Canada. Ce n'est pas le cas aux États-Unis. L'album éponyme sort début novembre et est produit par divers artistes américains notables. Ainsi, on trouve Linda Perry, reconnue pour ses collaborations avec Courtney Love, James Blunt ou Gwen Stefani et Pink. On trouve également Ben Moody et David Hodges, qui ont obtenu du succès notamment en France avec leur groupe de rock Evanescence au début des années 2000. Enfin, Aldo Nova, fidèle parmi les fidèles. Cette équipe rend un beau travail de production à la fois éclectique avec des touches très pop-rock, qui ont le don de renouveler la couleur musicale de Céline.

« My Love » adoucit le ton général de l'album et rappelle l'œuvre classique de Céline. De quoi garder les fans de la première heure et élargir le public. L'album se vend à plus de 3,5 millions de copies à travers le monde. Plus de 1 million d'exemplaires aux USA, 400 000 au Canada et frileusement à peine plus de 100 000 en France. Céline serait-elle boudée par le public français ? Rien n'effraie pour autant la production. En attendant, « Taking Chances » est un grand retour de la diva sur le plan international et ouvre une nouvelle page de sa carrière alors qu'une autre va se tourner...

Le 15 décembre 2007, la résidence de Céline au Colosseum du Caesars Palace de Las Vegas touche à sa fin. C'est la dernière après cinq ans, le contrat initial ayant été prolongé de deux ans vu l'immense succès de la diva. « A New Day » réalise 385 millions de dollars de recettes après 717 représentations, ce qui est un record absolu pour une résidence d'artiste. L'expérience a été belle et Céline a redonné ses lettres de noblesse à ce concept de résidence depuis celles de Frank Sinatra et Elvis Presley à Vegas.

Alors que les critiques pensaient qu'elle s'enterrait dans le désert du Nevada, Céline a déjoué les pronostics, s'est offert cinq années de plaisir et a eu la vie familiale à laquelle elle aspirait. Cela a pour répercussions d'attirer d'autres artistes. Céline cède sa place à d'autres cadors de la variété internationale, tout en émettant l'idée de revenir un jour. C'est l'artiste et comédienne Bette Midler qui prend le relais avec son spectacle « The Showgirl Must Go On ». Céline quitte Las Vegas en diva triomphante, le contrat rempli honorablement, et s'attelle déjà à un nouveau projet d'envergure : une tournée internationale.

En guise de promotion de l'album « Taking Chances », elle s'engage en 2008 pour une tournée astronomique rappelant ses plus belles heures et fêtant son grand retour. Il ne pouvait en être autrement. Le *Taking Chances Tour* prévoit 132 dates et traverse quelque 25 pays. Démarrant le 14 février 2008 à Johannesburg, en Afrique du Sud, il prendra fin un an plus tard, en février 2009, aux États-Unis. La mise en scène est confiée à Jamie King. Né en 1972, ce chorégraphe et metteur en scène américain commence sa carrière en tant que danseur lors du célèbre *Dangerous Tour* de Michael Jackson en 1992. Il apprend ensuite la mise en scène dans la boîte de nuit Glam Slam West de Los Angeles. Là, il crée chaque semaine pendant trois ans un nouveau spectacle, teste, perfectionne ses trouvailles. C'est alors que Prince l'engage pour chorégraphier sa future performance *live* aux American Music Awards de 1995. Cette prestation est très remarquée et Madonna contacte Jamie King pour s'attacher ses services. Très vite, le clip vidéo de Madonna « Human Nature » naît de leur première collaboration. Il est l'un des metteurs en scène dont les concepts rapportent le plus de dollars ces dernières années. Citons ses collaborations aux tournées de Ricky Martin, Diana Ross ou bien Britney Spears.

Il apparaît donc comme l'homme de la situation pour organiser la nouvelle tournée mondiale de Céline. Ainsi, il brode sur mesure un spectacle mêlant la danse, la mode et la musique. Tout cela habillé par de vastes couleurs. Le *Taking Chances Tour* met en évidence quatre thématiques élaborées par King : la soul, le rock, la *fashion victim* et le Moyen-Orient. Avec cela, c'est une équipe de huit danseurs, quatre hommes et quatre femmes, qui est présente tout au long du show. Au départ, les répétitions ont lieu en décembre 2007 au MGM and Garden Arena de Las Vegas. Cette salle présente de nombreux avantages pour tester différentes possibilités de configuration. King dirige à distance avant de s'engager pleinement sur la tournée au mois de mai 2008. Il conceptualise trois spectacles distincts autour d'une scène centrale pénétrant dans la « fosse ». Trois spectacles, car Céline est une artiste à double carrière : en français et en anglais. Ainsi, pour les dates française, suisse et belge, la *setlist* est adaptée avec plus de chansons en français.

De même, le décor doit être adapté, car certains stades ou lieux d'accueil de la tournée imposent des contraintes ne permettant pas toujours d'installer la configuration idéale, avec cette scène centrale. Il en va de même pour tout le barnum prévu : une vingtaine d'écrans LED, des tapis roulants, des ascenseurs, etc. Un vrai spectacle haut en couleur comme il n'en existe plus.

Au printemps, le *Taking Chances Tour* s'arrête notamment en France, à Paris, dans la salle omnisports de Bercy, la plus grande de la capitale. Pendant 10 soirs de suite, du 19 au 28 mai, la diva québécoise excelle comme on ne l'attendait plus dans l'Hexagone. Une heure 45 minutes de concert où Céline se montre show-woman comme jamais. La *setlist* chantée contient pour partie ses plus grands tubes ainsi que les singles de son dernier album. Elle change plusieurs fois de robes pendant le concert et finit avec ses deux plus grands tubes : « My Heart Will Go On » et « Pour que tu m'aimes encore ». Bercy est aux anges, heureux de retrouver la star quasiment 10 ans après son ascension mondiale.

C'est une nouvelle tournée record. Rassemblant plus de 3 millions de spectateurs à travers le monde, elle devient l'une des plus rentables de l'histoire de la musique en rapportant plus de 279 millions de dollars de recettes. Un come-back aussi puissant qu'inattendu. Les fans de la diva n'ont jamais cru en une retraite lors de sa résidence à Vegas, mais les critiques et les observateurs étaient plutôt sceptiques. Cette tournée déjoue les pronostics de ceux qui pensaient que Céline ne grimperait plus vers les sommets mondiaux.

Céline sur les Plaines

Au mois d'août, Céline fait une parenthèse dans sa tournée pour honorer une invitation à un anniversaire pas comme les autres : les 400 ans de la ville de Québec ! Fondée en 1608, elle est la ville francophone la plus ancienne d'Amérique et représente avec l'Acadie les fondements de l'Amérique française. C'est un événement qui est célébré tout au long de l'année 2008. La ville a mis les petits plats dans les grands et investit pour l'occasion près de 155 millions de dollars canadiens. La France est intimement liée à cette célébration puisque deux de ses grandes villes sont jumelées avec Québec : Paris et Bordeaux. Ainsi, des représentants de ces villes sont actifs dans l'organisation des fêtes du 400ᵉ anniversaire.

Un concert de Céline Dion organisé au cœur de la ville est une évidence, car elle est l'emblème même du Québec.

C'est sur les célèbres plaines d'Abraham que le concert a lieu, le 22 août 2008. Ce grand parc public est, avant l'événement, l'objet de plusieurs rénovations au coût financier conséquent de quatre millions de dollars canadiens.

Le 22 août au soir, Céline monte sur scène devant 250 000 spectateurs. C'est un nouveau record, car la diva réalise là son plus grand nombre de spectateurs pour un concert. L'événement est tel qu'il est diffusé en direct à la télévision canadienne. Elle chante exclusivement ses chansons françaises. Notons que le Québec est réputé pour préserver et défendre la langue française depuis des siècles, et ce, malgré la domination écrasante de l'anglais partout dans le monde ; une résistance courageuse face au voisin américain.

Pour l'occasion, elle invite plusieurs artistes québécois à la rejoindre sur scène pour des duos uniques. Parmi les nombreux invités, on trouve Garou, Nanette Workman, Éric Lapointe, Claude Dubois (révélé en France grâce à l'opéra rock *Starmania*) entre autres, et Zachary Richard, Louisianais francophone. Puis il y a Ginette Reno, l'ancienne protégée de René. Avec Céline, elle clôt le show en chantant « Un peu plus haut », une chanson écrite par l'artiste québécois Jean-Pierre Ferland. Elle avait été interprétée pour la première fois par Ginette Reno à l'occasion des festivités de la Fête nationale en 1975 sur le site du Mont-Royal, à Montréal. Trente-trois ans plus tard, ce duo apparaît comme historique. Deux femmes aux destins croisés. Dès la première répétition au Studio Piccolo, les témoins en ont des frissons. C'est le cas du créateur de la chanson, Jean-Pierre Ferland, qui déclare :

— Le soir du spectacle, j'avais hâte aux dernières notes, je savais qu'il y aurait une explosion[1].

L'interprétation est différente de celle de 1975. Reno le reconnaît volontiers :

— C'est le jour et la nuit, dit-elle. La première fois, il y avait plus de tristesse. Avec Céline, c'est que du bonheur[2].

Pour son auteur-compositeur, le ressenti de l'interprétation de Céline donne un autre relief à sa chanson :

— C'était au départ une chanson de rupture. Avec Céline et Ginette, c'est devenu une chanson de retrouvailles, ressent Ferland. Dans la chanson, il y a une explication, elles règlent un petit malentendu, pas un malaise : pourquoi Céline est devenue une star internationale et pas Ginette[3].

Pour Céline, le destin manqué à l'international de Ginette est injuste :

— C'est un rêve de chanter avec Ginette Reno. Elle aurait dû aussi avoir une carrière internationale, affirme-t-elle.

Le concert tient toutes ses promesses, si bien qu'il fait l'objet d'une captation spéciale pour l'édition d'un DVD. Pour cela, le réalisateur Stéphane Laporte est chargé de filmer en coulisse. S'il a suivi Céline tout au long de sa tournée *Taking Chances Tour*, il reste toujours impressionné par l'artiste et la femme :

— Quand elle est sortie de scène après ce triomphe, dit-il, elle va non pas prendre un verre de champagne, mais rejoindre toute son équipe. En toute humilité, elle félicite chaque membre de son équipe, les artistes, tout en cherchant sa mère. On va constater une fois de plus à quel point elle demeure simple, humble et gentille[4].

---

1. *Céline sur les Plaines*, documentaire, 2008.
2. *Ibid.*
3. *Ibid.*
4. *Ibid.*

Il en va de même de sa bienveillance pour les invités de ce concert si spécial :

— Céline est très impressionnante, non seulement sur scène, mais aussi en coulisse, affirme Laporte. Elle se montre généreuse, respectueuse et soucieuse afin que chaque artiste soit mis en valeur[1].

Fabienne Thibeault ajoute :

— Les gens disent : « Oh ! mais elle est restée d'une gentillesse incomparable. Elle dit bonjour à tout le monde, aux techniciens, etc. avant de monter sur scène. » Tous les Québécois font ça ! Ça fait partie de notre arbre, je pense[2].

Céline démontre qu'elle est une légende vivante qui n'est pas près de s'éteindre, loin de là. L'université de Laval lui remet, dans les jours qui précèdent, le titre de « docteur d'université *honoris causa* ». Cela peut en surprendre plus d'un dans la mesure où la diva a écourté sa scolarité pour se consacrer à la chanson dès l'âge de 13 ans. Mais ce titre honorifique salue les valeurs humaines qu'elle véhicule à travers le monde. Dans le même registre, elle reçoit en décembre le grade de compagnon de l'Ordre du Canada, grade le plus élevé, l'équivalent de notre Légion d'honneur. Un exemple à suivre, donc.

Après les célébrations de Québec, la tournée *Taking Chances Tour* reprend. Une nouvelle compilation sort fin octobre. Elle est intitulée « My Love, Essential Collection ». Elle rassemble ses plus gros succès anglais uniquement. Il comporte l'inédit « There Comes a Time ». S'il se vend à plus de 2 millions d'exemplaires mondialement, aux États-Unis, le résultat est encore juste avec 500 000 copies vendues. Toutefois, il s'agit d'une énième compilation et

---

1. *Ibid.*
2. Entretien avec l'auteur, juillet 2019.

191

n'enlève rien à la performance mondiale que Céline réalise au moment de sa sortie. Lorsque la *Taking Chances Tour* prend fin en février 2009, Céline annonce une seconde grosse pause. Depuis sa reprise en 2002, elle a enchaîné sept années denses entre Las Vegas et les albums. Elle a tiré les enseignements du passé et ménage toujours, avant tout, sa vie de famille. Famille qu'elle espérait agrandir puisque, courant 2009, elle annonce une fausse couche.

En février, le documentaire réalisé lors de sa tournée mondiale sort dans les salles de cinéma aux États-Unis et au Canada. Pour une durée très limitée, certes, mais une programmation uniquement sur de grands écrans, à la mesure de l'artiste. Ce documentaire intitulé *Céline : Through the Eyes of the World* a été réalisé par Stéphane Laporte et dure deux heures. Deux heures dans les coulisses de la plus grande diva actuelle. Autant dire du pain bénit pour les fans.

En attendant, elle sort de sa petite retraite pour rendre hommage à Michael Jackson, le roi de la pop. Lors des Grammy Awards 2010, une pléiade d'artistes monte sur scène pour chanter un bel hommage à l'artiste disparu en juin 2009 dans de sombres circonstances. Il a fait de sa vie une légende et alimente les spéculations encore aujourd'hui. Céline fut une grande fan, comme la majorité des musiciens de cette génération. Michael Jackson a inventé un genre, innové, créé un style, un son. Sa patte dans l'histoire de la musique reste éblouissante et inégalée. Si les dernières années de sa vie furent ternies par sa vie privée et ses déviances, l'œuvre reste intacte et admirée. Quelle relève depuis « the King of Pop » ? Peut-être Céline qui vient d'être désignée en mai 2010, par un sondage, « chanteuse préférée des Américains ». Quelle consécration pour la petite fille du Québec !

À 42 ans, de nouveau enceinte, elle reste sagement au repos. Elle s'adonne alors aux diverses occupations de la vie à la maison. René-Charles, son fils aîné, est maintenant âgé de 10 ans et se prépare à devenir grand frère. Du coup, elle collabore de nouveau avec Marc Dupré. Elle lui offre une musique pour la chanson « Entre deux mondes ». C'est le premier single de l'album de l'artiste québécois ; il sort en octobre 2010.

Céline ne répond plus aux interviews, mais René transmet volontiers un communiqué de presse comprenant une déclaration de Céline sur cette composition de musique :

Le thème et la mélodie me sont venus dans ma salle de bain... Ceux qui me connaissent savent que c'est sans doute la pièce de la maison qui m'inspire le plus par son caractère intime et aussi son excellente acoustique. Cet endroit est un havre de paix qui invite à la créativité. Avant même d'y ajouter les paroles, je savais que « Entre deux mondes » devait être interprétée par un homme et le registre vocal de Marc me semblait le plus approprié[1].

En plus de cette cocréation, elle pose sa voix pour un duo inédit avec Dupré sur la chanson « Y' a pas de mots ».

Le 23 octobre 2010 à la clinique Sainte-Marie de West Palm Beach, en Floride, Céline accouche de jumeaux. Des garçons, donc, l'un prénommé Eddy (en hommage à Eddy Marnay, son premier parolier et père musical, décédé en 2003) et le second Nelson (en hommage à Nelson Mandela, président de l'Afrique du Sud, symbole de la lutte

---

1. Communiqué de presse, 2010.

contre l'apartheid). Il a fallu six fécondations in vitro pour qu'elle soit enceinte. Les parents se montrent très heureux. Pendant plusieurs jours, les prénoms des deux nouveau-nés sont l'objet de toutes les spéculations et font les gros titres des journaux, car ils n'ont pas été communiqués !

C'est une nouvelle étape dans la vie de femme de Céline qui mérite une attention particulière. Mais l'expérience fait qu'elle et René savent désormais s'organiser une vie de famille. Ainsi, comme en 2002, les « Dion » reposent leurs valises à... Las Vegas ! Céline signe un nouveau contrat de résidence ; le spectacle est prévu début 2011, comme l'explique René :

— Le spectacle est monté sur papier, tous les rendez-vous de création auront lieu ici, en Floride, chez nous, et les premières répétitions vont avoir lieu dans la première semaine de janvier avec les musiciens. On espère qu'elle va pouvoir récupérer d'ici janvier pour pouvoir répéter.

En France, une autre artiste québécoise a du succès depuis juillet 2009 : Béatrice Martin, alias Cœur de pirate. Auteure-compositrice-interprète tout juste âgée de 20 ans, elle possède une voix aux tonalités rappelant une petite fille de 10 ans, et ses mélodies au piano séduisent le plus grand nombre. Durant l'été 2009, sa chanson « Comme des enfants » est un superbe succès. Toutefois, le genre est très différent de Céline, aucune concurrence n'est possible. Ainsi, après Roch Voisine en 1989, après Céline, Cœur de pirate apparaît comme la troisième génération d'artistes québécois à émerger et conquérir la France. Affaire à suivre.

Pour l'heure, trois ans et demi après avoir quitté la scène du Colosseum du Caesars Palace, Céline s'apprête à faire son grand retour dans le Nevada. Le rendez-vous est déjà pris par les fans du monde entier, même s'ils comprennent que cela suppose un nouvel arrêt des disques et des tournées. Ce n'est pas dit comme tel, et Céline ne semble rien s'interdire pour les années qui viennent.

C'est ce que l'on constate lorsqu'elle apparaît en duo avec Michel Sardou sur l'album-concept de l'artiste français, constitué exclusivement de duos. La chanson s'appelle « Voler » et sort en single le 25 novembre 2010. Toutefois, elle n'a pas été enregistrée dans les conditions « classiques ». Céline étant enceinte, elle ne peut prendre l'avion et se rendre au studio d'enregistrement à Paris. Mais la technologie moderne permet largement à un artiste d'enregistrer en Floride, l'autre à Paris, et ensuite de mixer les deux prises de son. Cela n'est pas du goût de Michel Sardou qui espérait sans nul doute rencontrer la diva et avoir le plaisir de partager ce duo avec elle. Il le déplore encore quelques années plus tard et ne se prive pas de pester sur l'organisation de ce duo, cette rencontre « manquée ». Il déclare :

— Ça a été un peu spécial, je ne l'ai pas vue. On a chanté ensemble, mais on ne s'est pas vus. La faute aux abrutis, aux imbéciles de maisons de disques[1] !

À méditer.

---

1. *On n'est pas couché*, France 2, 2010.

11

Retrouver
mes traces

— Je rentre chez moi au Colosseum du Caesars Palace et j'en suis très excitée, annonce Céline. Avec l'orchestre et le groupe, nous allons interpréter nos chansons comme jamais auparavant. Le répertoire sera extraordinaire... Un mélange de classiques hollywoodiens intemporels et toutes les préférées que mes fans aiment bien m'entendre chanter. Ce sera une très belle série et je pense que nous allons élever la barre plus haut qu'auparavant. Il va y avoir des merveilleux moments, j'ai tellement hâte[1] !

Le 15 mars 2011, Céline présente *Céline*, son nouveau spectacle en résidence au Colosseum du Caesars Palace de Las Vegas. Un show tout nouveau qui se veut totalement différent de la période 2002-2007. C'est un orchestre complet d'une trentaine de musiciens ainsi qu'un groupe qui sont sur scène aux côtés de la diva. Cette fois-ci, il n'y a pas

---

1. Site officiel de Céline Dion, mars 2011.

de danseurs, ni de chorégraphies comme précédemment. Plus de sobriété en termes d'image, moins de clinquant.

En janvier 2011, la prévente du spectacle a rapporté près de 10 millions de dollars en quelques minutes, ce qui est un record pour le lieu. Produit par Ken Ehrlich, connu pour être producteur d'évènements télévisés, notamment, depuis des décennies, des Grammy Awards. Yves Aucoin est, lui, à la conception lumières depuis 1989 auprès de Céline Dion. Un membre à part entière de la grande famille « Angélil-Dion », qui a la confiance absolue de René et Céline.

— Céline prend son talent et son public très au sérieux, indique-t-il. Nous avons passé beaucoup de temps à écouter attentivement chacune des chansons de son répertoire avant de choisir celles qu'elle interpréterait et à quoi elles devraient ressembler[1].

Au son, c'est également un ancien de l'équipe « Dion » que l'on retrouve : Denis Savage. Québécois, il a réalisé tous les disques et DVD *live* de Céline depuis une quinzaine d'années. Il est un perfectionniste qui se tient à la pointe de la technologie afin d'apporter le petit plus pour son artiste. Particulièrement renommé, il est extrêmement sollicité, notamment par les artistes québécois. Sa présence est aussi gage de confiance pour Céline. Tout artiste a besoin d'un socle affectif sur scène. Connaître, être complice avec son équipe et avoir une totale confiance en chacun. C'est le but pour ce grand retour sous les projecteurs.

Et cela porte ses fruits, à en croire la critique qui semble éblouie par ce nouveau show. Par exemple, *The Star* encense la diva :

---

1. Interview Ayrton.eu, 2016.

À un moment de sa carrière où Dion pourrait se contenter de recycler les succès antérieurs, son honnêteté éclatante avec du matériel nouveau et audacieux est plus que louable, c'est sublime. Tout simplement, Dion est meilleure que jamais[1].

Ou encore The Gazette (Montréal), élogieuse pour l'enfant du pays :

Dion est magnifique dans le nouveau spectacle de Las Vegas. Grandiose, mais intime. Un divertissement pur, du plus haut niveau[2].

Céline surprend en effet en faisant des interprétations inédites comme « Ne me quitte pas » de l'illustre Jacques Brel ou encore un medley autour de James Bond. Ce nouveau Vegas résonne comme un renouveau en ce début de décennie. En 2011, c'est plus de 250 000 spectateurs qui se rendent au Colosseum pour applaudir la diva québécoise. Ce sont aussi plus de 40 millions de dollars de recettes, ce qui en fait un des shows les plus rentables de l'histoire.

Ce retour en annonce un autre. Céline lancée sur ce succès grandiose de ce spectacle, un nouvel album se trame en coulisse... pour la France !

Sans attendre

— C'est toujours agréable de faire des nouvelles rencontres, déclare Céline. Mais c'est aussi important de travailler avec des gens qu'on admire et qu'on aime. Parfois, on s'aventure sur une nouvelle route où l'on ne connaît pas trop exactement les nouvelles personnes avec qui on va

---

1. *The Star*, 16 mars 2011.
2. *The Gazette*, 2011.

travailler, mais les piliers, dans notre vie, ils seront toujours là. Même si on ne travaille pas avec eux, ils ont laissé quand même un bagage qui nous suit pour toujours[1].

Début novembre 2012, l'album « Sans attendre » signe le retour de Céline en français. Cinq ans après l'album-concept « D'elles », il est attendu par le plus grand nombre. Pour l'événement, elle ne lésine pas sur la promotion, et la stratégie de communication est savamment réfléchie. Ainsi, outre les nombreuses interviews qu'elle accorde aux médias québécois, belges et français, son site internet officiel propose, la veille de la sortie de l'album, une écoute intégrale. « Sans attendre » se présente comme un album à la fois sensible et intime. Plusieurs artistes-artisans ont mis la main à la plume pour achever une œuvre singulière. Des nouvelles collaborations qui ont su mettre le doigt sur les sujets qui tiennent le plus à cœur à la diva.

— Ça a été un grand bonheur de retrouver des chansons extraordinaires faites sur mesure avec tant d'émotions, commente Céline. J'ai été touchée de ça parce que je n'ai pas été en contact avec les auteurs-compositeurs pour leur dire de me faire des chansons sur mesure. C'est eux qui m'ont proposé des titres qui sont tellement de tout mon « intérieur ». Parler de mon père, de ma mère, de mes enfants, c'est tout ce que j'aime, tout ce que je vis. Tant mieux si on peut se permettre de faire un album d'une telle sensibilité et d'une telle intimité aussi[2].

Le premier single, « Parler à mon père », est diffusé sur les ondes depuis le mois de juillet. Composée et écrite par Jacques Veneruso, désormais collaborateur habitué de la diva, cette chanson est d'une sensibilité qui remporte

1. *CD aujourd'hui*, France 2, novembre 2012.
2. Interview *Salut Bonjour*, Montréal, octobre 2012.

tout de suite un vif succès. Le thème y est pour beaucoup puisqu'il parle du lien paternel. Les paroles sont une vraie déclaration d'amour de l'artiste pour son père disparu en 2003. Sur une musique arrangée pop, entraînante avec ses guitares hispano-andalouses, cela relève le thème et lui permet de l'aborder avec plus de gaieté que de nostalgie. C'est très réussi. La profondeur des mots touche un large public, et le titre se classe directement à la première place des charts au Québec.

De cette chanson poétique et intime, Céline analyse :

— On m'a écrit des choses que j'aurais probablement pas osé chanter avant. J'ai jamais été capable de chanter une chanson qui parlait de mon père. Et trouver la bonne façon, parce que ce n'est pas triste. Mon père était mon fan numéro 1. Être capable d'en parler, c'est spécial. Depuis une dizaine d'années, je ne le visite plus. Il ne vit plus chez nous, mais il m'habite tous les jours[1].

D'ajouter :

— Je pense à lui tous les jours. Je sais qu'il est avec moi, qu'il veille sur mes enfants[2].

La critique, elle, semble séduite également. Pour *Le Figaro* :

Céline chante d'une voix plus douce qu'à l'accoutumée, qui ne manquera pas de plaire aux plus nombreux. « Parler à mon père » constitue une première surprise pour un opus qui devrait en contenir plusieurs[3].

Pour *Le Quai Baco* :

Rien de nouveau dans la variété française, mais quand c'est bien fait, on ne va pas s'en plaindre[4].

---

1. *Ibid.*
2. Interview *Le Figaro*, novembre 2012.
3. *Ibid.*
4. Quai.baco.com, octobre 2012.

Je voudrais décrocher la lune,
Je voudrais même sauver la terre
Mais avant tout, je voudrais
Parler à mon père

Ce 14ᵉ album français contient des surprises notables, il est vrai. À commencer par un duo de rêve pour les amateurs de chanson française : Céline et Johnny Hallyday. Les deux plus grandes voix francophones réunies pour interpréter « L'amour peut prendre froid ». Chanson écrite par Christophe Miossec et arrangée par le chef d'orchestre Yvan Cassar (qui a gagné sa notoriété auprès de Claude Nougaro, Mylène Farmer et Johnny Hallyday). Le titre figurera également sur l'album du rockeur, « L'attente », qui sort trois semaines plus tard. Pour *La Presse*, quotidien canadien :

Le mélange des voix de Céline et de Johnny Hallyday est intense et donne du relief à cette chanson américaine[1].

Plus loin sur le disque, on trouve « Moi quand je pleure », chanson écrite par Maxime Le Forestier. Né en 1949, le chanteur français à la guitare s'est installé dans le patrimoine de la chanson grâce à son mythique « San Francisco » en 1972. C'est un artiste à la plume reconnue, et sa signature sur l'album de Céline est gage de qualité. Les mots de « Moi quand je pleure » sont posés sur une musique du non moins talentueux Stanislas. Né la même année que « San Francisco », cet auteur-compositeur français remporte un vif succès avec sa chanson « Le manège » en 2007. C'est ensuite par un duo avec Calogero sur sa chanson « La débâcle des sentiments » en 2009 qu'il accroît

---

1. *La Presse.*

sa notoriété dans le métier et aux yeux du public. Ces deux générations d'artisans de la chanson sont réunis pour la plus grande diva. La critique canadienne décrit le morceau :

Le vétéran Maxime Le Forestier s'est inspiré d'une image de la jeune Céline qui l'a marqué : une fontaine en pleurs. Sur une musique qu'on croirait composée pour une comédie musicale française, la chanteuse joue la carte de la fragilité avant de s'éclater un peu à la fin. Réussie[1].

L'auteur explique tout simplement :

— C'est un portrait de Céline, qu'elle chante comme un autoportrait[2].

Ensuite, on trouve un étonnant duo virtuel avec Henri Salvador. Décédé en 2008, celui qui fut un artiste singulier dans le paysage de la chanson française par ses interprétations toutes particulières réapparaît grâce au miracle de la technologie. Céline réitère l'expérience menée avec Frank Sinatra quelques années auparavant. Mais là, c'est différent : c'est la veuve de l'artiste, Catherine, qui a sollicité Céline pour que ce duo naisse autour de la chanson « Tant de temps ». Les arrangements musicaux diffèrent de la version originale chantée par Salvador sur un album posthume sorti quelque temps avant. Mais la patte de Veneruso gagne l'éloge de la critique :

Les arrangements de Jacques Veneruso servent magnifiquement ce très beau duo entre Céline et l'homme à la voix de velours. Un grand cru[3].

Autre surprise, le parolier québécois Luc Plamondon fait son retour auprès de Céline 25 ans après. Il lui écrit pour cet album la chanson « Que toi au monde ». Jean-

---

1. *Ibid.*
2. *Le Matin*, octobre 2012.
3. *Ibid.*

Pierre Ferland, artiste québécois très populaire, prend aussi la plume pour l'enfant du pays avec la chanson « Je n'ai pas besoin d'amour ». L'écrivaine Nina Bouraoui réitère également l'expérience « D'elles » et, cinq ans plus tard, elle écrit les paroles du titre « Celle qui m'a tout pris », composé par Veneruso.

Enfin, la présence de Fabien Marsaud, alias Grand Corps Malade. Né en 1977, il se fait connaître en 2005 par la poésie chantée et le *slam* (un dérivé poétique du rap). Comme il est désormais spécialiste du genre, son écriture est particulièrement prisée par la profession qui le sollicite pour divers projets. Son apparition dans les crédits de l'album « Sans attendre » était un peu devenue inévitable. Il signe la chanson « La mère et l'enfant », un texte que Céline apprécie particulièrement et dont elle dit qu'il a donné la couleur de l'album. Elle déclare :

— Je pense que c'est possible pour moi à un moment de faire l'actrice, la chanteuse et de m'emprunter un personnage. Donc, ce n'est pas nécessairement ce que je vis vraiment, ce n'est pas nécessairement mon histoire, mais je peux sincèrement entrer dans ce personnage et faire passer le message parce que j'en suis la première convaincue. Ça, c'est important.

Mon rôle le plus important, c'est d'être mère. C'est devenu le thème de mon album parce que c'est ce que je porte de plus précieux en moi et ça a donné la couleur du reste de l'album.[1]

De toute ma tendresse
Mes vagues te caressent

---

1. *Ibid.*

Comme un enfant face à la mer
Souriant et apaisé
Tu trouves en moi quelques repères
Notre rêve est réalisé

La critique est contrastée. Pour *Le Matin* :
Il parle de filiation, porté en français par des mélodies tendres et des textes finement ciselés. Ici, la vamp calibrée Vegas s'efface. Elle fait place à la femme, à la fois enfant, amoureuse et maman. Un très beau disque à découvrir[1].

Pour *AllMusic* :
« Sans attendre » est l'un de ses meilleurs albums récents.

Du reste, l'album est souvent qualifié d'inégal. Les mélodies sont appréciées, mais selon la critique, il manque quelque chose. D'autres pointent le trop-plein de collaborateurs qui ne rend pas l'ensemble homogène et donc efficace. Enfin, si l'on en croit l'avis général, le gros manque de cet album, c'est Jean-Jacques Goldman. Et l'équipe Dion a beau avoir sollicité une douzaine de créateurs, rien ne remplace le talent de l'auteur-compositeur de « Pour que tu m'aimes encore ».

Toutefois, cela n'empêche pas l'album de se vendre. Le public suit son idole sans tenir compte de l'avis des critiques. En France, le démarrage est excellent puisque ce sont presque 100 000 exemplaires qui s'écoulent et une première place au classement. Au Québec, ce sont plus de 200 000 copies qui se vendent dès la première semaine. Ce seront finalement 1,5 million d'albums vendus mondialement, dont 800 000 en France. Une performance qui

---

1. *Le Matin*, octobre 2012.

n'était plus arrivée depuis un certain temps et qui est très appréciable pour un retour. Certifié disque de diamant en France, il est l'album le plus vendu de l'année 2012 et devient le plus gros succès depuis l'album « S'il suffisait d'aimer » en 1999.

Ce nouveau succès permet une petite tournée de promotion quasiment improvisée. En effet, un autre projet d'album, en anglais cette fois-ci, est au programme. Il n'y avait donc pas vraiment la place pour une tournée de concerts européens dans l'immédiat. Mais les bonnes ventes de « Sans attendre » changent la donne...

Une seule fois...

Il faut néanmoins attendre un an avant de revoir la diva en concert en France. En attendant, un concert unique et exceptionnel est organisé le 27 juillet 2013 à Québec, sur les plaines d'Abraham. Intitulé *Céline... une seule fois*, ce *live* sur les terres québécoises revêt invariablement un caractère sentimental spécial. Pour Céline, c'est toujours une émotion singulière :

— C'est impossible pour moi de vivre longtemps sans revenir ici, dans mon pays, à mes origines. Cette mémoire vivante est le plus beau cadeau qu'on puisse donner à nos enfants[1].

René Angélil explique simplement comment ce concert s'est présenté et les raisons qui l'ont poussé à accepter :

— Quand on m'a présenté l'offre, j'ai dit oui tout de suite... Dans ma tête, sans évidemment trop afficher mon enthousiasme sur le coup. Les négociations n'ont pas été

---

1.   *Le Soleil*, juillet 2013.

longues, les astres étaient alignés. On a dit oui pour le *kick* et surtout parce que ça se passe chez nous. Pour nous, les plaines d'Abraham, c'est aussi magique que le Yankee Stadium pour un joueur de baseball. L'argent, ce n'est pas tout. Il faut qu'on ait le goût de vivre quelque chose d'inédit, sinon on n'embarque pas. On a reçu des offres en or, comme des spectacles en Chine ou en compagnie de célèbres ténors, que nous avons refusées, mais quand j'ai reçu l'offre pour les plaines d'Abraham, j'ai dit oui tout de suite[1].

L'époux-manager reconnaît volontiers que ce concert est particulier. Il ne se joue qu'une seule fois sans même avoir été rodé avant. Du pur *live* donc, même si demeure l'appréhension de décevoir :

— Ce n'est pas comme un show de tournée qu'on a pu roder dans plusieurs villes. On parle ici d'un tout nouveau show, créé pour un soir seulement. On ne veut surtout pas décevoir nos fans[2].

Le concert est produit par QuébéComm et son directeur Sylvain Parent-Bédard, un jeune producteur qui a rapidement montré un savoir-faire et qu'il n'ignorait pas être à la hauteur. C'est aussi pourquoi René a accepté le défi :

— Des agents d'artistes de grande renommée vont souvent refuser des sommes considérables présentées par des producteurs en qui ils n'ont pas entièrement confiance. Nous avons une réputation à défendre. Mais j'avais observé de loin le grand succès du spectacle de Madonna l'an dernier, sur les Plaines, et je savais que je pouvais faire confiance à Sylvain Parent-Bédard.

Ce soir de juillet, il y a plus de 40 000 spectateurs présents pour cet événement unique. Et le public n'est pas

---

1. *Le Journal de Québec*, avril 2013.
2. *Ibid.*

déçu ! La *setlist* compile évidemment les grands succès de Céline, mais auxquels s'ajoutent plusieurs chansons de l'album « Sans attendre ». Cela démarre avec « Ce n'était qu'un rêve », pièce écrite par Maman Dion et composée par Jacques Dion. On retrouve les années Goldman avec « Pour que tu m'aimes encore », « Je sais pas » ou bien « J'irai où tu iras », mais aussi du Plamondon avec « Incognito ». Dans la soirée, la diva rend un vibrant hommage à l'artiste québécois Félix Leclerc, décédé 25 ans plus tôt, en chantant son titre « Bozo ». Le concert se termine par un final en apothéose, avec la chanson « Le miracle » : tous les spectateurs ont enfilé un bracelet lumineux bleu distribué à l'entrée du concert par la production. Ainsi, les 40 000 bracelets bleus forment une jolie vague bleue s'étendant jusque dans le fond du site pendant qu'un signe *peace* apparaît sur l'avant-scène. Une belle conclusion pour un soir unique. Quant à la performance de l'artiste, la presse est une nouvelle fois subjuguée par son charisme et sa voix. Ainsi, le journal *Le Soleil* écrit :

Sans la voix et l'aura de la patronne Dion, tout cela serait futile. Son célèbre instrument n'a pas déçu samedi, atteignant les notes vertigineuses et la performance sportive qu'on attend de lui : la costaude « All By Myself » et l'insubmersible » My Heart Will Go On », offerte en rappel, auront servi de preuve irréfutable[1].

Loved Me Back to Life

À la rentrée 2013, un nouveau single en anglais sort. « Loved Me Back to Life » (traduisez « Ton amour m'a

---

1. *Le Soleil*, juillet 2013.

ramené à la vie ») annonce un album éponyme qui sort début novembre. La chanson est écrite par l'énigmatique artiste australienne Sia Furler. Née en 1975, elle se fait connaître en interprétant la chanson du DJ français David Guetta « Titanium » en 2011. Elle conquiert le public international en 2014 avec son titre « Chandelier », vendu à plus de deux millions d'exemplaires aux USA. Plus tard, elle accroît sa popularité avec « The Greatest » en 2016. Son univers est auparavant bien connu dans le milieu de la musique. Une couleur authentique qui a trouvé écho en Céline Dion. Quelque temps après leur collaboration, c'est pour l'artiste franco-israélienne Tal qu'elle composera une musique : « À l'infini ».

« Loved Me Back to Life » est habillé de sonorités électro qui surprennent. Les arrangements sont empreints d'*auto-tune*, une technique qui consiste à segmenter la voix et l'aligner sur une tonalité définie, puis la répéter plus rapidement. Cela donne une énergie et une mélodie qui est entêtante. Cette surprise n'est pas du goût de certains critiques dès sa sortie. *Le Figaro* dégaine :

Il est dommage que la voix de Céline Dion, qui fait pourtant sa célébrité, soit modifiée par ces effets électroniques. Si le résultat est en effet plein de dynamisme, il s'en retrouve pourtant superficiel, bien loin des prouesses vocales dont la star nous gratifie depuis plus de 30 ans[1].

Par contre, cela en séduit bien d'autres :

Dans l'ère du temps ! Céline Dion n'a pas pu résister aux recettes qui font les succès des charts en ce moment : la collaboration avec des artistes en vue, une dose d'électro et une mélodie lancinante ! C'est le cocktail savamment

---

1. *Le Figaro*, septembre 2013.

mâtiné de vocalises qui sert son dernier single « Loved Me Back to Life[1] ».

Pareillement, *La Presse* est touchée :

Une chanson irrésistible qui donne le ton à l'album par sa réalisation plus moderne[2].

Terra Femina adhère également :

Un vent de modernité semble souffler sur Céline Dion qui a dévoilé récemment un extrait de la chanson « Loved Me Back to Life » qui flirte avec l'électronique et nous propose des rythmes beaucoup plus modernes, loin des habitudes de la chanteuse à la voix en or.

L'album sort mondialement début novembre. Au départ, René et Céline prévoyaient un album-concept fait pour moitié de chansons originales et de reprises. Mais après une réunion avec les dirigeants de Sony Music aux États-Unis, il est finalement décidé de ne faire que 2 reprises pour 11 originales.

— Moi, je n'ai jamais été convaincue par ce concept, déclare Céline. On s'est rendu compte qu'une partie se détachait trop de l'autre. Le son était trop nouveau. Donc, on a fait un virage complet et j'en suis très heureuse. Ce son a fait que ma voix est très sèche, très présente, sans effets ni écho. Moi, je n'ai pas été entraînée de même : il n'y avait pas de craquouille dans la voix, on ne craque pas parce qu'on est parfait[3].

Lorsqu'on écoute l'album, la couleur générale suit bien le premier single « Loved Me back to Life », assez moderne, rajeunie, électronique. La production trouve encore à faire des collaborations peu ordinaires. C'est

---

1. Plurielles.fr, septembre 2013.
2. *La Presse*, septembre 2013.
3. *La Presse*, novembre, 2013.

le cas de la chanson « Water and a Flame » chantée en duo avec l'artiste de R'n'B Ne-Yo. Auteur-compositeur à succès depuis le début des années 2000, il a collaboré avec Rihanna et Beyoncé. Ensuite, il est régulièrement sollicité et met son talent pour de prestigieuses productions comme celles de Whitney Houston, Craig David, Lionel Richie ou encore Michael Jackson. « Water and a Flame » est l'une des deux reprises. Elle fut antérieurement interprétée par Daniel Merriweather, en duo avec Adele en 2009.

Je suis contente qu'on ait reçu de nouvelles chansons, assure Céline. On me demandait : « Qu'est-ce que tu veux ? », mais moi, je ne fais pas de demandes spéciales, je n'appelle pas Ne-Yo pour lui commander une chanson. Quand ces chansons sont arrivées, je n'en revenais pas. Ces gens-là, qui sont vraiment très actuels dans les palmarès et écrivent pour tout le monde qui est hot, m'envoient ça et moi, je suis super contente[1].

La chanson est très bien accueillie par la critique :

Céline alterne entre la fragilité et la puissance et exploite bellement le grain de sa voix[2].

On retrouve Céline pour un second duo, et non des moindres : avec Stevie Wonder ! C'est sans doute l'un des plus grands noms manquant au tableau des duos prestigieux de la diva. Stevie Wonder, artiste non-voyant célèbre depuis les années 1960 ayant vendu plus de 100 millions de disques. Une légende vivante consacrée par l'Oscar de la meilleure chanson en 1984 avec son tube « I Just Called to Say I Love You ». Pour ce duo prometteur, c'est la chanson de Wonder, « Overjoyed », qui est choisie. L'artiste américain l'a chan-

---

1. *La Presse*, novembre 2013.
2. *Ibid.*

tée originellement en 1985. Le duo est assez réussi malgré quelques maladresses, selon les observateurs :

Une fort belle chanson de Stevie Wonder en duo avec Céline. Un bémol, toutefois : le réalisateur Tricky Stewart en fait presque une musique de film hollywoodienne[1].

La critique se montre assez enthousiaste de ce virage qu'elle a pris. Pour le *Quai Baco* :

Céline Dion nous livre un album de variété internationale bien ficelé, et sûrement un des meilleurs qu'elle ait sortis en langue anglaise[2].

Pour le média *Canoë* :

Un album dont l'ambition est clairement de rajeunir la clientèle de la chanteuse. « Loved Me Back to Life » est un virage sage et négocié avec brio vers un son plus moderne grâce à une utilisation sans précédent de rythmes générés électroniquement[3].

Enfin, pour *Music Story* :

« Loved Me Back to Life » est l'œuvre d'une nouvelle Céline Dion jeune et non pas d'une Céline Dion rajeunie. Céline Dion possède un avantage sur ces donzelles avec sa voix exceptionnelle qui se fond sans aucune difficulté dans le répertoire très actuel de « Loved Me Back to Life[4] ».

L'album se vend à près de 1,5 million d'albums dans le monde. C'est 200 000 en France et à peine plus aux USA. En deçà de ce qui était attendu de ce changement radical. Pourtant, beaucoup n'attendaient de la diva que ce changement, cette évolution dans le moderne. Étonnamment, le public n'a pas adhéré en masse. Le disque a le mérite

1. *Ibid.*
2. *Quai Baco*, novembre 2013.
3. *Canoë*, novembre 2013.
4. *Music Story*, novembre 2013.

d'exister et à terme il deviendra, je pense, un album *collector* de l'artiste.

Du 25 novembre au 5 décembre 2013, Céline se retrouve pour sept concerts exceptionnels à Paris-Bercy. Dans le cadre de la minitournée « Sans attendre », et après cinq ans d'absence en France, c'est un retour plus qu'attendu par ses fans français. Les retrouvailles tiennent toutes leurs promesses. Un *one woman show*, selon une certaine presse, tant Céline est à l'aise sur la scène, comme à la maison. Un concert commencé dans l'obscurité et *a cappella* avec « Je ne vous oublie pas », c'est ensuite toute une partie assez rock. Accompagnée de huit musiciens et trois choristes, la diva déroule comme à son habitude ses tubes « J'irai où tu iras », « My Heart Will Go On », « Pour que tu m'aimes encore » et ses dernières chansons de façon magistrale et avec une facilité déconcertante. En fin de concert, elle rend un hommage public à Jean-Jacques Goldman qui ne manque pas d'être chaleureusement applaudi par l'immense foule de Bercy.

Une année 2013 qui s'achève avec brio et annonce avec enthousiasme une année 2014 prometteuse.

Au printemps, elle apparaît au cinéma dans la production *Muppets Most Wanted*. Tiré de la célèbre série *The Muppet Show*, créée en 1976, ce récit filmographique met en scène les différents personnages de cet univers, comme Peggy la cochonne ou bien Kermit la grenouille. Céline y chante même « Something to Right » en compagnie de ces deux mythiques personnages. C'est le beau temps avant l'orage.

Brutalement, le 12 août 2014, Céline annonce qu'elle suspend immédiatement toutes ses activités professionnelles pour raisons familiales et de santé. Stupeur chez les fans, d'autant qu'une tournée était prévue en Asie ainsi que sa reprise de résidence à Las Vegas. Il se trouve que Céline, ayant enchaîné une nouvelle fois les années d'activité, est touchée par une inflammation des muscles adjacents aux cordes vocales, ce qui la condamne au repos. D'autre part, son mari René est opéré rapidement d'une tumeur cancéreuse, 15 ans après son cancer de la gorge.

Le ciel s'assombrit subitement pour Céline, mais elle s'est toujours vite relevée plus forte, plus brillante...

12

Plus que loin,
plus qu'ailleurs...

Mars 2015. Après des mois de repos pour elle et de présence auprès de son mari René, Céline annonce préparer son retour à Vegas. Un retour prévu pour le mois d'août, où la star espère retrouver la magie des émotions ressenties au Colosseum jusqu'ici :

— C'est très émouvant pour moi et je m'attends à ce que ces émotions grandissent encore plus à l'approche du jour J[1].

Ce retour au bercail doit faire du bien à Céline. Ces mois de repos forcé, cela ne favorise pas le moral. La diva a besoin d'exister et donc de chanter sur scène devant son public. René, lui, reste affaibli, il est en convalescence après l'ablation de cette tumeur à la gorge fin 2013. Toutefois, il tient à ce que Céline reprenne le chemin de la scène, c'est vital, malgré le vide que crée l'absence de son épouse à la maison.

1.　RTBF, mars 2015.

— N'oubliez pas, il a été le leader du groupe toute ma vie, dit Céline. Alors, cela le met hors de lui s'il ne me voit pas de la journée. Mais il veut que je le fasse [son comeback sur scène], que je fasse le show, les interviews. Mais il panique aussi quand je ne suis pas à la maison avec lui[1].

Quant à l'état de santé de René, la diva reste forte face à l'épreuve qui n'est jamais totalement gagnée :

— Vous pouvez avoir les genoux qui tremblent à la fin, mais quand quelqu'un que vous aimez chute et a besoin d'aide, ce n'est pas le moment de pleurer. Après, oui, bien sûr. Mais ce n'est pas encore le moment[2].

Pour cette reprise prévue à la fin de l'été, un nouveau directeur musical est choisi. Céline a passé 28 ans sous la houlette de Claude Lemay. Désormais, c'est Scott Price qui prend le relais. On s'en souvient, Price a déjà collaboré musicalement avec Céline par deux fois. La première, c'était en 1988, où il officiait sur scène en tant que claviériste sur la tournée Incognito. La seconde, c'était 20 ans plus tard, en dirigeant l'orchestre du fameux live sur les plaines d'Abraham, à Québec, en 2008. Sa nomination par Aldo Giampaolo, nouvel imprésario de Céline depuis les problèmes de santé de René, est en réalité logique. Et bien que la rumeur de cette nomination ait circulé en « off », l'intéressé affirme :

— J'ai appris la nouvelle en même temps que tout le monde. Je ne m'y attendais absolument pas[3] !

Pour Aldo Giampaolo, ce choix s'explique naturellement :

— J'avais aimé la façon de travailler de Scott dans

---

1. Purepeople.com.
2. *Ibid.*
3. *Metronews*, septembre 2016.

la première tournée de Star Académie, dont j'étais le promoteur. En plus, Scott était du concert de Céline sur les Plaines. J'ai suggéré à René et Céline de choisir un Québécois qui a toutes les compétences plutôt que quelqu'un de Las Vegas[1].

Scott Price a une carrière qu'il décrit comme « pleine d'action et stimulante à beaucoup de niveaux, pas juste musical[2] ». Claviériste, compositeur et directeur musical, il est diplômé du Conservatoire royal de Toronto. Il a une carrière remplie de collaborations avec une grande variété d'artistes : Diane Dufresne, Roch Voisine, Robert Charlebois, Petula Clark ou encore Charles Aznavour. Il a par ailleurs composé pour la télévision et réalisé la direction musicale pour le festival Juste pour rire de Montréal. Un homme d'expérience en qui René et Aldo Giampaolo ont perçu qu'il pouvait être l'« homme de la situation ».

— C'est très motivant de travailler avec Céline, déclare Price. Elle reçoit et elle est généreuse aussi. Elle motive, elle apprécie quand on travaille pour elle. Pour un musicien, la position dans laquelle je suis, c'est comme le contrat ultime qu'on peut avoir[3] !

Après quelques semaines de préparation, il dresse un portrait de la diva assez épatant :

— Avec elle, le plus gros du travail se fait en avant, pendant la préparation. Elle est très minutieuse, mais une fois sur scène, elle est une locomotive ! Tu appuies sur play et tu sais qu'elle va être juste éblouissante[4] !

De plus, le directeur musical remanie le show sur le fond :

1. *La Presse*, août 2015.
2. *Le Nouvelliste*, août 2015.
3. *Ibid.*
4. *Le Journal de Montréal*, avril 2015.

— Il y a pas mal de choses qui vont bouger. Le show sera considérablement changé. Je dirais qu'entre le tiers et la moitié du spectacle sera complètement amélioré. Céline va chanter plus de ses hits et moins de reprises[1].

Et pour bien faire, il peut compter sur l'écoute et la rigueur des « anciens ». C'est le cas d'Yves Aucoin, ingénieur lumière, toujours présent et qui est l'un des piliers de ce show et de l'équipe.

— Céline est bien groundée, elle est de bonne humeur, c'est agréable de travailler avec elle, dit-il. Ç'a toujours été agréable, mais il y a comme une fébrilité qui est le fun présentement. Le fait d'avoir un peu de sang neuf dans l'équipe y contribue aussi, sans rien enlever au passé[2].

Il explique la philosophie de ce qui est présenté désormais comme un nouveau spectacle après A New Day en 2003 et Céline en 2011 :

— On était partis pour refaire le même show, mais après un arrêt d'un an, on avait le goût de changer des choses. L'ossature du spectacle est pas mal la même, mais Céline avait le goût de faire des nouvelles chansons. Dans ma liste de chansons qui n'étaient pas programmées dans mes consoles, il y en a environ une dizaine[3].

Toutefois, l'absence de René laisse un vide pesant pour toute l'équipe. Yves Aucoin en témoigne :

— On revient faire un show et je vois combien il nous manque. Ce n'est pas mon mari, mais ça me met tout à l'envers pareil[4].

Mais de rester positif :

---

1. *Ibid.*
2. *La Presse*, août 2015.
3. *Ibid.*
4. *Ibid.*

— Quand on se parle entre deux larmes, Céline et moi, on se dit qu'on va faire un show qui fait du bien, un show positif, raconte Aucoin. On ne peut pas être trop dans le mélodrame. Faire de la musique, c'est une belle chose et René veut qu'on fasse de la belle musique. Après ça, les robes, le visuel et tout le reste, c'est de l'extra, mais d'entendre cette fille-là chanter, avec la voix qu'elle a, c'est ça que ses fans viennent chercher. Encore plus que jamais[1].

Disparition d'un géant

René ne s'est pas retiré officiellement et a délégué en toute discrétion plusieurs responsabilités à Aldo Giampaolo. Mais les fans ne sont pas dupes. Le silence de sa longue convalescence laisse deviner qu'il ne se remet pas de son dernier cancer. Depuis fin 2013, c'est une petite agonie que vit René. Il se nourrit à l'aide d'un tube. Une souffrance lente et terrifiante dont Céline est témoin au quotidien. Malgré tout, elle est optimiste pour deux et bien plus. Elle reste forte et courageuse auprès de ses enfants, ne laisse rien transparaître de sa souffrance de voir l'homme de sa vie s'affaiblir et souffrir en silence. Quelques scènes du quotidien entretiennent un bonheur qui subsiste encore, comme en témoigne Céline :

— Vers la fin, on regardait des émissions de télé et on riait beaucoup. Il aimait que je vienne prendre mon café du matin avec lui. Puis j'ai recommencé à travailler. Il ne mangeait plus, avalait essentiellement des médicaments. Je lui disais : « Prends des images, regarde les enfants se

---

1. *Ibid.*

baigner, le soleil qui vient du dehors. » Mais il n'avait plus la force[1].

En août 2015, Céline reprend le chemin de sa résidence au Colosseum du Caesars Palace. Parallèlement, une campagne voit le jour en hommage à René Angélil. Elle est l'initiative de Line Basbous, fondatrice des Red Heads, un fan-club officiel de Céline Dion. Line décide de lancer une levée de fonds pour financer une pleine page publicitaire dans Le Journal de Montréal dédiée à René Angélil. L'idée lui vient lorsque la diva annonce qu'elle remonte sur scène à Las Vegas fin août.

— L'idée d'un hommage est venue naturellement : nous crevions d'envie de leur faire parvenir une missive d'amour et de remercier celui qui a réalisé les rêves de Céline et de tous ses fans[2].

Ainsi, dès le mois de juin 2015, les Red Heads, à l'instigation de Line Basbous, créent une page de sociofinancement.

— C'était le moyen tout indiqué pour amasser la somme d'argent nécessaire pour la publication d'une page entière dans un quotidien à grand tirage[3].

Est-ce une façon d'anticiper une disparition qui peut arriver dans les mois à venir ? Pas du tout. Selon elle :

— Aujourd'hui, l'heure n'est pas aux larmes. Elle est aux célébrations et aux remerciements. Le retour de Céline sur scène est un message fort ; il est à l'image d'une vie entière vouée à l'accomplissement de soi, à la passion et à la recherche de la perfection. Nous sommes et serons toujours infiniment admiratifs envers René Angélil

---

1. *Paris Match*, mai 2016.
2. *Le Journal de Montréal*, août 2015.
3. *Ibid.*

qui, dans la grandeur de son œuvre, n'a jamais manqué d'humanisme et de bienveillance envers l'ensemble des personnes qui l'ont entouré[1].

Hélas, ce remerciement public haut en couleur de la part de fans présage bien ce qui arrive le 14 janvier 2016. Âgé de 76 ans, René Angélil voulait partir dignement, comme dans les plus belles histoires d'amour, dans les bras de son épouse. Mais le destin lui fait manquer ce dernier rendez-vous, car il s'éteint seul dans la nuit du 13 au 14 janvier. Céline est en concert ce soir-là, comme tous les soirs. Le couple, qui fait chambre à part depuis quelque temps en raison de la santé de René, a pris de nouvelles habitudes. Ainsi, lorsque Céline rentre du Colosseum, elle va toujours embrasser son mari et le border quelques minutes avant d'aller se coucher. Mais pas ce soir. La diva est rentrée un peu plus tard que d'ordinaire et ne veut pas risquer de réveiller René. Elle ira se coucher seule, épuisée par le show, et elle attendra le lendemain pour l'embrasser.

Au petit matin du 14 janvier, l'infirmière de René le découvre allongé par terre dans sa chambre. Il ne respire plus. Le médecin se rend rapidement sur place et conclut à une crise cardiaque.

— Ce fut rapide, atteste Céline. Il n'a rien senti. Je crois qu'il a été libéré de sa souffrance[2].

Céline oscille entre deux sentiments qui s'entremêlent : le chagrin et le soulagement.

— Il a vécu trois années d'agonie. Je souhaitais qu'il soit en paix. Je souhaitais qu'il se sente léger et sans tourments[3].

---

1. *Ibid.*
2. *The Perfect*, 18 février 2018.
3. *Ibid.*

Plus tard, la diva révélera lui avoir dit ces derniers mots, peu avant qu'il ne disparaisse :

— Ça suffit, cette souffrance. Tu as tant donné, tu ne mérites pas ça. Les enfants vont bien, tout ira bien. Tu m'as bien enseigné. Je vais m'en servir[1].

Lorsque la nouvelle est diffusée dans la presse, c'est l'émoi du monde entier. Personnalité discrète mais attachante, il avait été reconnu comme un manager talentueux et rempli de valeurs humaines. Le lendemain, des hommages affluent en premier lieu du Québec ; le Premier ministre canadien, Justin Trudeau, adresse un message officiel sans entrer dans des considérations personnelles. Par contre, le maire de Montréal Denis Coderre le qualifie de « monument du monde du spectacle », Mélanie Jolie, ministre canadienne du Patrimoine, salue, elle, ce « géant du monde artistique ». Le réalisateur québécois Xavier Dolan rend hommage par ces mots :

— René Angélil lui fît toucher les étoiles, qu'il rejoint à présent.

L'équipe professionnelle de hockey sur glace, les Canadiens de Montréal, respecte une minute de silence avant un match au Centre Bell de la ville. Enfin, Garou, artiste produit par René et Céline au début des années 2000, déclare :

— René nous lègue les plus belles valeurs. Tu es rare, tu restes encore mon patron !

Du côté du show-business, l'acteur-chanteur français Patrick Bruel salue René, le décrivant comme un homme « généreux, visionnaire et tellement respectueux des autres » tout en ajoutant :

---

1. *Ibid.*

— Ce soir, mon cœur est triste.

L'acteur américain James Woods, lui, le qualifie de « vrai gentleman ».

En France, le producteur de spectacles Gilbert Coullier, qui produit les tournées françaises de Céline, déclare :

— S'il n'y avait pas eu René Angélil, il n'y aurait pas eu Céline Dion. C'était un visionnaire, ce n'était pas un manager qui faisait le barrage autour de son artiste, au contraire. Il était d'une sympathie, d'une disponibilité, d'une fidélité… C'était un couple fusionnel, et la carrière qu'ils ont faite ensemble, c'est grâce aussi à cette complicité. Ils ont bâti une carrière inespérée pour une chanteuse francophone.

Il faut dire que ce début d'année 2016 est une hécatombe pour le monde de la chanson et du cinéma. Tour à tour disparaissent : Michel Delpech le 2 janvier, David Bowie le 10 et Alan Rickman le même jour que René. Et puis encore la même année, ce sont Prince et Georges Michael qui disparaîtront.

Au lendemain de la mort de René, le Premier ministre du Québec Philippe Couillard annonce que des funérailles nationales seront organisées en son honneur. Elles ont lieu le 22 janvier en la basilique Notre-Dame de Montréal, où avait été célébré le mariage de Céline et René en 1994. La veille, dans la basilique, on dresse une chapelle ardente où est exposée la dépouille du défunt. Des milliers d'anonymes s'y rendent dès 14 h pour un dernier hommage personnel à l'enfant du pays. Conscient de son état de santé, René avait songé depuis plusieurs mois à ses funérailles. Ainsi, il aurait noté soigneusement le déroulement qu'il souhaitait pour celles-ci. Une cérémonie débutant à 15 h 20 par la musique de « Trois heures vingt », une des chansons de Céline datant de 1984. Il souhaitait également être enterré avec son costume de marié.

Le 22 janvier, la basilique est pleine à craquer tout comme ses abords. L'événement est tel qu'il est retransmis simultanément sur toutes les chaînes d'infos en continu du pays. Quelques jours plus tard, le 3 février, une cérémonie de commémoration est célébrée au Colosseum du Caesars Palace de Las Vegas à 19 h. Céline y convie tous ceux qui souhaitent témoigner une dernière fois de leur amitié pour René. À cette occasion, plutôt que d'envoyer des fleurs, elle demande que l'on adresse des dons à la Chaire de recherche en oncologie ORL du CHU de Montréal.

Ce drame n'arrive pas seul. Deux jours après le décès de René, l'un des frères aînés de Céline disparaît à son tour d'un cancer. Daniel Dion, âgé de 58 ans, était atteint d'un troisième cancer auquel il n'a pas survécu. Il était le huitième enfant du couple Thérèse et Adhémar Dion. Il était surtout reconnu comme artiste spécialisé dans la vidéo. En 1982, il fonde une galerie d'art à Montréal, Oboro. C'est un lieu convivial qui accueille et accompagne les artistes. Ses œuvres se trouvent aujourd'hui au Musée des beaux-arts de Montréal. Ses obsèques sont célébrées trois jours après celles de René, le 25 janvier 2016, en l'église Saints-Simon-et-Jude de Charlemagne, la ville berceau des Dion.

Comment Céline peut-elle se relever de la perte de ces deux êtres chers ? Par le show, tout simplement. Si, en ce mois de janvier, quelques dates de la résidence ont été annulées en raison des événements, elle remonte très vite sur scène. C'est le plus bel hommage qu'elle pouvait rendre à René. Elle perpétue leur œuvre tous les soirs. Ces drames réveillent une tendresse particulière pour Céline. Son courage est exemplaire là où d'autres auraient jeté l'éponge et tout abandonné pour se noyer définitivement. Céline est portée par ses responsabilités de mère de famille et par ce que René lui a transmis. Ce sera désormais sa force pour continuer leur œuvre. À preuve, sa reprise du tube du groupe Queen, « The Show Must Go On », qu'elle chante lors de la cérémonie du Billboard Music Awards le 22 mai 2016. Si certains pouvaient douter de sa capacité de résilience, elle démontre là toute sa force et son courage par ce qu'elle sait faire de mieux : chanter.

Encore un soir

Le 24 mai 2016, un nouveau titre est diffusé : « Encore un soir ». Elle démarre pendant plus d'une minute avec des notes au piano, une histoire sur le temps qui passe et les souvenirs amassés. C'est l'hommage public de Céline à René. Et qui de mieux pour écrire cet hommage que l'homme qui a su écrire au plus près d'elle 20 ans plus tôt ? C'est en effet à Jean-Jacques Goldman que Céline fait appel. Goldman aimait beaucoup René. L'auteur-compositeur français est reconnu pour sa pudeur et sa délicatesse. S'il s'est fait discret lors de la mort de René, c'est pour mieux délivrer ses sentiments sur papier comme il sait si bien le faire.

— Il m'a fait un cadeau merveilleux, reconnaît Céline.

Le texte est d'une belle sensibilité poétique à la « Goldman ». Tout pour séduire et faire adhérer le public.

Il est vrai que le projet d'album français était acté depuis plusieurs mois. Céline songeait évidemment à solliciter son auteur fétiche, comme elle le déclare :

— C'est un retour, puis en même temps Jean-Jacques est quelqu'un qui fait partie de mes bagages. Il a tout écrit pour moi[1].

---

1.   RFM, mai 2016.

Ce que semble valider Jean-Jacques, un peu perplexe tant il a exploré tous les sujets possibles.

— Il m'a dit : « Céline, écoute, j'ai tout écrit pour toi : les tempêtes, toutes les couleurs de l'automne, la pluie, la neige, le froid, la chaleur... On a tout fait ensemble[1]. »

C'est alors que Céline convainc son auteur favori avec un thème particulier :

— J'ai dit : « Écoute, Jean-Jacques, on s'apprête à tourner une page de notre livre et, effectivement, on a tout chanté ensemble. Mais il y en a une que tu n'as pas écrite. Et je ne peux pas trouver une autre personne que toi pour le faire. J'aimerais ça, si tu peux, que tu prennes en considération ma demande. Écrire une chanson pour René et moi, qui allons traverser le pont. » Et il a plus que bien répondu à ma demande[2].

Quant à Jean-Jacques Goldman, qui s'exprime si rarement, il déclare :

— Cette fois-ci, elle est venue avec une idée. C'est elle qui m'a demandé : « Est-ce que tu peux faire une chanson qui parle du temps qui passe ? » En y réfléchissant, cette chanson m'est venue et je la lui ai proposée[3].

Et ça marche puisque la chanson est directement classée numéro 1 du Top en France et devient le meilleur démarrage de l'année. L'album ne sort pas avant la rentrée de septembre. En attendant, une petite tournée d'été entre le Québec, la France et la Belgique se prépare.

Un peu de nous, un rien de tout
Pour tout se dire encore ou bien se taire en regards
Juste un report, à peine encore, même s'il est tard

---

1. *La Presse*, septembre 2016.
2. *Ibid.*
3. RFM, mai 2016.

Après ce début d'année difficile émotionnellement, le voyage semble tout indiqué pour que Céline se change les idées. Elle entreprend la tournée par la Belgique avec deux soirs au Sportpaleis d'Anvers les 20 et 21 juin, puis s'installe à Paris-Bercy du 24 juin au 9 juillet. Enfin, elle termine par le Québec, ses terres natales, avec quelque 17 concerts. Du 31 juillet au 17 août à Montréal, du 20 au 25 août à Québec, et enfin les 30 et 31 août à Trois-Rivières. Ces deux derniers concerts sont néanmoins à but caritatif puisque les sommes rapportées (soit 1,5 million de dollars) sont reversées à la Fondation Céline Dion.

Ce qui aux yeux de certains paraissait être une routine n'en est pas une. Selon Scott Price :

— C'est une autre sorte de spectacle, une autre sorte d'encadrement. À Las Vegas, au Caesars Palace, on fait partie d'un *entertainment package* qui est la ville de Las Vegas au complet. Mais être avec Céline Dion en tournée, les gens viennent la voir ; ils viennent la voir au Caesars Palace aussi, mais ce n'est pas pareil. Le show est plus long cette tournée-ci, et majoritairement en français. Céline a beaucoup de plaisir à chanter en français[1].

De plus, le choix des chansons a été exclusivement fait par Céline. On retrouve des standards inévitables, certes, comme « Pour que tu m'aimes encore », mais aussi de vieilles chansons plus rarement jouées en concert comme « Et je t'aime encore », « Vole » ou « Trois heures vingt » qui a été diffusée lors des obsèques de René. Sans oublier le dernier titre, « Encore un soir », qui est le grand sujet de la tournée.

— Ce sont des chansons qui la touchent beaucoup, qui

---

1. *Le Nouvelliste*, août 2016.

représentent où elle est dans sa vie présentement[1], explique son directeur musical.

Sur scène aux côtés de Céline sont présents une trentaine de musiciens et un ensemble de cordes et de cuivres. Pour la diva, la préparation est la même qu'à Vegas. Il n'y a pas de grand ou petit public, elle donne la même chose chaque fois, c'est-à-dire, tout ce qu'elle a.

— Il n'y a aucun show qui n'est pas important, et pour Céline, c'est pareil, rappelle Scott Price. Qu'il y ait 50 personnes ou 50 000, on est toujours là. C'est drôle, parce que lorsqu'on a fait le spectacle sur les Plaines en 2008, il y avait plus de 250 000 personnes, et je pense que c'est plus stressant de jouer devant 500 personnes. On a l'impression qu'elles entendent tout ce qu'on fait, tandis que lorsque c'est une immense foule dehors, des fois, ça devient un peu abstrait.

La tournée aura eu des effets bénéfiques sur le moral des troupes avant d'entamer une rentrée de promotion chargée. Céline semble régénérée et désormais prête à redevenir plus conquérante que jamais.

— Ça a été difficile au début, pour moi, d'aller en studio et d'effleurer des passages un peu sensibles, mais ce n'est pas un album triste[2].

C'est en ces mots que Céline décrit son nouvel album « Encore un soir ». Il sort dans les bacs le 26 août et s'écoule dès la première semaine à plus de 200 000 exemplaires. Un démarrage en fanfare comme un regain de popularité après les ventes complexes de ses derniers albums en français.

La pochette de l'album est tout en sobriété : en noir et blanc. De circonstance, direz-vous, eh bien, non ! Elle a

---

1. *Ibid.*
2. *La Presse*, septembre 2016.

été choisie quasiment un an avant par... René en personne !
Céline l'explique :

— Je n'étais pas sûre de la couverture, mais René
a choisi la photo. Moi, je trouvais que j'étais un peu trop
souriante sur la photo. Pas que je voulais pleurer, pas que
je voulais avoir l'air triste, mais c'était quand même un
peu amer, ces moments. J'ai fait la séance photo, on a vu
toutes les photos. Pour lui, c'était celle-là. Alors, pour moi,
c'était choisi[1].

Ce nouvel album est assez épatant par ceux qui l'ont créé.
Il fait la part belle aux nouvelles générations de créateurs,
comme aux « anciens ». Dès la première chanson, c'est une
belle surprise qui entame le disque : « Plus qu'ailleurs ». La
chanson est écrite par Serge Lama et composée par Francis
Cabrel, rien que ça ! Deux des derniers monstres sacrés de
la chanson française ! Né en 1943 à Bordeaux, Serge Lama
est un chanteur à voix et auteur-compositeur à forte popularité depuis son tube de 1969 « Les ballons rouges ». On
lui doit par la suite plusieurs tubes comme « D'aventures
en aventures », « Je suis malade » ou encore « Les p'tites
femmes de Pigalle » et « Les glycines ». Francis Cabrel
est, lui, né à Agen en 1953. Auteur-compositeur-interprète
guitariste, il a du succès dès ses débuts avec les chansons
« Petite Marie » et « Je l'aime à mourir ». C'est ensuite une
succession de tubes. On lui doit « L'encre de tes yeux »,
« La dame de Haute-Savoie », plus tard « Sarbacane » ou
bien « La corrida ». Cabrel représente un courant roman-
tico-poétique qui se fait de plus en plus rare dans la chanson française. Sa plume poétique singulière signe une
œuvre authentique. En 2014, Céline et Francis Cabrel se

---

1. *Ibid.*

retrouvent sur un plateau télévisé sur les plaines d'Abraham à Québec : « L'été indien ».

Le poète français raconte :

— C'est cet après-midi-là que j'ai été touché par Céline. Elle m'a fait comprendre à demi-mot que si un jour je lui écrivais une chanson, elle serait super ravie. À partir de ce moment, ç'a été un peu mon objectif de faire une chanson pour elle[1].

Puis il explique :

— Serge Lama est un ami qui m'envoie pas mal de textes pour voir ce que je peux en faire. Sur un départ d'un texte de Serge que je trouvais très beau, j'ai continué à écrire et j'ai composé la musique. Mon disque « In extremis » n'était pas fini à l'époque, donc, ça aurait pu aboutir sur mon album. Mais je lui ai dit que j'allais finir le texte en pensant très fort à Céline[2].

La chanson démarre avec la guitare folk de Francis Cabrel reconnaissable entre toutes, tout comme sa mélodie. Les paroles de Serge Lama sont interprétées avec sobriété et justesse par Céline, sans pousser plus qu'il ne faut. Un morceau très acoustique mêlant guitares, percussions et accordéons. Là encore, on reconnaît l'univers de Cabrel. Cela va à merveille à la voix de Céline.

Nous serons tellement enlacés
Lancés vers nos rêves hors de portée
Sous l'immense manteau du bonheur
Nous serons plus que loin
Nous serons plus qu'ailleurs

1. *La Presse*, 2016.
2. *La Presse*, 2016.

Ensuite, nous trouvons en second single « L'étoile », qui suit sur le disque « Plus qu'ailleurs ». Cette chanson est signée par un quatuor de la nouvelle génération : Grand Corps Malade, Florent Mothe, artiste découvert dans la comédie musicale *Mozart, l'opéra rock* en 2010, et enfin le duo d'auteurs Manon Romiti et Silvio Lisbonne. Ces derniers ont auparavant écrit plusieurs chansons pour la chanteuse Tal. Ils signent pour Céline les chansons « Les yeux au ciel » et « Le bonheur en face ». Plus loin sur le disque, on trouve la signature étonnante de Zaho. Née en 1980, elle a du succès comme artiste en 2008. Son genre plutôt R'n'B variété trouve un large public. Elle écrit pour Céline les chansons « Ma faille » et « Tu sauras » en collaboration avec les compositeurs Ludovic Carquet et Therry Marie-Louise. Concernant « Ma faille », elle a été composée il y a plusieurs années et l'artiste compte au départ la garder pour l'un de ses albums personnels. Or, un jour, elle décide de la proposer, comme une bouteille à la mer, à la production de Céline Dion et elle est acceptée parmi des centaines d'autres propositions.

La jeune artiste raconte comment s'est passée cette collaboration :

— J'ai raté quelques représentations du *Roi Arthur* pour aller avec Céline à Las Vegas et réaliser ces morceaux-là. Là, c'était juste magique. J'étais plus avec Céline Dion, la diva. J'étais avec une meuf très, très cool, accessible, rigolote, on se *checkait*, on rigolait. Surtout, j'étais très professionnelle avec elle, car elle est extrêmement professionnelle. Au point où elle va vous dire : « N'hésite pas à me diriger, j'aime bien qu'on me dise : «J'adore quand tu fais ça, tu peux me refaire la vibe ?» » Elle n'a aucun complexe, elle n'a pas d'ego. Pour elle, ce qui compte, c'est de s'amuser.

On s'est tous amusés en studio. On a parlé de notre quotidien, on s'est raconté deux, trois blagues. Elle est comme ça dans les médias et elle est pareille en vrai[1] !

Quant à ce qu'il advient finalement de sa chanson, Zaho dit :

— En fait, je l'aurais plus adaptée, étant donné que je n'ai pas le même vécu qu'elle. Donc, j'ai dû changer quelques mots pour que ça corresponde à Céline. Mais ça m'a permis d'avoir un miroir, comment je l'ai ressentie et comment elle l'a portée différemment. C'est comme un créateur qui porte son vêtement, mais qui dit : « OK, c'est sympa, mais c'est mieux sur un autre modèle. » Elle a emmené la chanson ailleurs. Elle a gardé certains trucs que j'essayais de défaire, c'est ça qui était super avec elle, elle sait ce qu'elle veut : « Non, non, c'est ça qui est original, qui est différent, je veux le faire de telle manière. » Donc, on a respecté sa volonté[2] !

« Ma force » est un morceau écrit et composé par Vianney. Né en 1991, il a du succès dès son premier album, « Idées blanches », sorti fin 2014, et son tube « Pas là ». Auteur-compositeur-interprète, il reçoit en cette année 2016 la Victoire de la musique de l'« artiste masculin de l'année ». Artiste incontournable, c'est tout naturellement que le management Dion le sollicite pour écrire une chanson. « Ma force » évoque le travail de deuil, tel un combat. Clairement sur mesure pour Céline.

On trouve aussi une reprise de la chanson « Ordinaire » de Robert Charlebois, qui date de 1970. Il y a une nouvelle version de « Trois heures vingt », chanson écrite en 1984 par Eddy Marnay pour Céline. Ces reprises peuvent illustrer cette envie de garder quelques racines dans cet album d'une nouvelle ère.

---

1. *Charts in France*, octobre 2016.
2. *Ibid.*

L'album se vend bien, très bien même, avec rapidement 600 000 copies écoulées en France. Toutefois, la critique est mitigée. Certains décrivent ce disque comme un « album-pansement » avant la guérison. Ils sont surpris d'entendre du R'n'B signé Zaho sur l'album censé être celui du deuil, mais qui tout en sobriété paraît largement optimiste. Mais l'album était en gestation dans les grandes lignes avant la mort de René. D'ailleurs, il a participé aux décisions de conception. Il n'y a donc rien d'étonnant dans les choix. La chanson « Encore un soir » est plébiscitée par la profession et le public, qui la considèrent bien au-dessus des autres. Pour ceux qui réclamaient le retour de Goldman, ce n'est pas vraiment le cas, mais ce titre a « une touche de magie » comme l'espérait Céline.

Désormais, la vie doit continuer, sans René, en existant par soi-même et en décidant seule de ce que sera demain. Reste à savoir quels seront ses choix et ses directions musicales futures. Il ne fait pas de doute que la disparition de René laisse la voie à une nouvelle Céline, à bientôt 50 ans.

Le 9 septembre 2016, Céline dévoile la chanson « Recovering ». Elle est écrite par Pink et annonce le projet d'album en anglais à venir.

— Qu'elle m'ait écrit une chanson, ça m'a beaucoup touchée. Piano-voix, c'est elle qui chante, elle a pris son temps et elle m'a envoyé ce démo-là. Ça s'appelle « Recovering » et c'est ce qui se passe dans ma vie : I'm recovering (« Je guéris »). C'est tellement à point cette chanson-là[1].

Mais cet album ne verra le jour que beaucoup plus tard, après mûre réflexion de l'artiste...

---

1. *La Presse*, septembre 2016.

13

Que les Dieux
vous gardent

Lives

— J'ai tellement hâte de revenir au Royaume-Uni et en Europe cet été, j'ai tant de souvenirs précieux dans ces villes formidables et je suis si impatiente à l'idée d'y retourner et de revoir enfin tous mes fans[1].

Sony Music annonce une nouvelle tournée européenne pour l'été 2017. Après la sortie de « Encore un soir » et après avoir enchaîné les plateaux de télévision pour la promotion, Céline est rentrée poursuivre sa résidence au Colosseum.

Cette nouvelle tournée prévoit de passer au Royaume-Uni, en Suède, au Danemark, en Allemagne, en Suisse et enfin dans six villes françaises. Outre le nouveau Bercy rebaptisé AccorHotels Arena de Paris, ce sont cinq stades de football que la star canadienne a prévu de remplir. Du Matmut Atlantique de Bordeaux à l'Allianz Riviera de Nice

---

1. Communiqué, Sony Music, 2017.

en passant par le célèbre Stade Vélodrome de Marseille. C'est la première fois que la diva chante dans des stades en France. Plus de deux heures de concert et une vingtaine de titres. Plusieurs changements de tenue, dont certaines sont parfois légères, de la danse. Du Céline 100 %. Lorsque les premières images de son concert au Matmut Atlantique de Bordeaux ont été publiées ici et là, la presse à sensation apprécie :

Remise de la mort de son époux René Angélil, portée par une popularité retrouvée, elle semble vouloir faire ce qu'elle a envie et rompre avec son image passée, cela se traduisant aussi par sa garde-robe de plus en plus audacieuse. Nous on aime[1]

Après sa première à Paris, une grande radio française titre, elle : « Céline Dion libérée et surprenante à l'AccorHotels Arena de Paris[2] ». D'ajouter : « Céline Dion ose. Élégante, toujours aussi surprenante. » Pour cette tournée, Céline est accompagnée sur scène d'une petite vingtaine de musiciens et de trois choristes.

Alors qu'elle a toujours eu une certaine énergie sur scène, qu'elle a toujours été une véritable show-girl, étrangement, elle se montre plus libérée. Notamment après la pause où elle réapparaît allongée la tête à l'envers sur une chaise, vêtue d'une combinaison intégrale moulante et sexy. Elle interprète alors « Le ballet », et une danse en corps à corps assez torride commence avec l'un de ses danseurs. Cette image d'elle est si rare qu'elle fait le tour du monde. Voilà la nouvelle Céline, à l'aise avec elle-même, qui s'assume pleinement. Et ce changement lui fait gagner en popularité sur la planète show-business.

---

1. Purepeople.com.
2. RTL.

Elle multiplie les sorties tape-à-l'œil dans des looks originaux et, par moments, excentriques. Est-ce la proximité avec son danseur Pepe Muñoz qui la transcende ? Il est évident que ses nouvelles fréquentations ont une influence sur elle. Tant que cela reste *fun* et n'entame rien de son talent et de ses œuvres à venir.

Sa tournée 2018 en Australie et en Asie confirme cette mutation pleine de panache et d'audace. Sur scène, elle est une performeuse sachant emmener le public dans toutes ses émotions. Une bête de scène qui se lâche visuellement sans tomber pour autant dans la vulgarité. N'en déplaise aux critiques qui la guettent depuis le décès de René. Son évolution post-René intrigue la planète people qui s'alimente chaque jour, faisant d'un détail anodin une actualité rocambolesque.

La fin d'une époque

Fin septembre 2018, Céline publie sur les réseaux sociaux qu'elle n'ira pas au-delà de son contrat de résidence au Caesars Palace.

C'est définitivement avec des sentiments mitigés que je pense à cette dernière série de spectacles, écrit-elle sur le réseau social Instagram. Las Vegas est devenue ma maison, et performer au Colosseum du Caesars Palace a occupé une grande place dans ma vie au cours des deux dernières décennies. Ça a été une expérience incroyable, et je suis extrêmement reconnaissante envers tous les fans qui sont venus nous voir au fil des ans.

La dernière est donc prévue pour le mois de juin 2019. Dès le lendemain, la nouvelle fait grand bruit aux États-Unis. Tout le monde est conscient de l'impact qu'a eu cette résidence de Céline à Las Vegas. L'importance de son show a suscité l'intérêt d'autres artistes pour le lieu. Après elle, Elton John, Shania Twain, Mariah Carey avaient également tenu une résidence à Vegas. Dans quelques mois, ce sera au tour de Lady Gaga et Aerosmith. Pour Zoé Thrall, directrice du Studio at the Palms, où Céline enregistre depuis 2006 :

— Son impact dans l'univers du divertissement à Las Vegas est légendaire. Elle a établi ce que l'on appelle maintenant « la résidence Las Vegas ». Quand elle a commencé la sienne en 2003, ça n'avait jamais été fait[1].

La première magistrate de la ville réagit également sur cette fin de résidence. Pour Carply G Goodman, Céline est devenue une ambassadrice éminente :

En plus d'être un talent immense, Céline est une bonne personne, et nous lui souhaitons du succès dans tout ce qu'elle entreprendra. Et bien entendu, il y aura toujours une place pour elle à Las Vegas[2].

Enfin, la Chambre de commerce a aussi tenu à communiquer :

Des gens de partout dans le monde viennent à Las Vegas pour voir son spectacle. Céline va beaucoup nous manquer une fois sa résidence terminée. Nous espérons qu'éventuellement, elle

---

1.   *Le Journal de Montréal*, septembre 2018.
2.   *Ibid.*

aura un nouveau spectacle à Las Vegas pour continuer de régner sur la Strip[1].

— Il y a tellement de souvenirs, de belles aventures et des rencontres avec des artistes extraordinaires, relève Céline. Toutes les personnes qui ont contribué à ce spectacle ont donné leur maximum, et ce, à tous les soirs. Seize années, c'est très long et je vais chérir cette expérience pour le restant de mes jours, ce n'est pas seulement une tournée de deux semaines. J'ai été chanceuse et je le suis encore. J'ai eu une carrière, j'ai toujours eu une carrière. Las Vegas et le Colosseum font partie de mon périple dans l'industrie[2].

La diva n'oublie pas non plus qu'au départ, le projet n'enthousiasmait pas la profession. Pire, celle-ci lui prédisait une petite mort dans le métier en choisissant la résidence à Las Vegas :

— Au début, l'énergie autour de ce projet, de ce rêve, n'était pas très positive. Je suis certaine d'en avoir déjà parlé, mais des gens disaient que le projet allait couler comme le *Titanic*, que ce serait la fin de ma carrière. À un moment donné, René a tapé dans ses mains, et il a dit : « Hé ! est-ce qu'on croit en notre projet ou non ? » Et ça a secoué tout le monde, de la bonne façon[3].

Elle se souvient même d'une mésaventure :

— Le soir de la première, impossible de trouver mes chaussures. Je suis montée sur scène pieds nus et j'ai demandé au public si quelqu'un chaussait du 41 pour me dépanner[4] !

---

1. *Ibid.*
2. *TVA Nouvelles*, juin 2019.
3. *Ibid.*
4. *20 Minutes*, juin 2019.

Puis en quelques mots, elle se rend compte des années passées, du chemin parcouru :

— À l'époque, je devais rester deux mois, puis deux ans, et je suis toujours là ! C'était notre rêve avec René, mes jumeaux sont nés là, René-Charles n'avait qu'un an et demi quand j'ai commencé, donc, il y a tous ces souvenirs... Un chapitre se ferme, mais je vais peut-être continuer à vivre à Vegas, à défaut d'y travailler[1].

Cette résidence et ces deux spectacles sont aussi l'œuvre de René qui a eu l'idée et y a cru le premier. Ce départ n'est pas le trahir, bien au contraire. Si, après la mort de René en 2016, Céline a refusé d'abandonner, elle a surtout tenu à aller au bout du contrat et le remplir jusqu'à son terme. Une part de René sera toujours dans ce lieu désormais mythique du Colosseum, construit spécialement pour la venue de Céline :

— L'esprit de René, son énergie seront toujours au Colosseum, c'est ce que je veux croire et sentir.

Céline veut aussi et surtout se souvenir de la présence et de l'amour de son public :

— Mes fans ont été extraordinaires. Ils ont chanté avec nous tous les soirs, ils ont ri, ils ont dansé avec nous et ils ont pleuré avec nous. J'ose croire à des larmes de joie. Ils ont été incroyables, je me sens bénie[2].

C'est en fin de compte 1141 concerts sur la scène du Colosseum depuis 2003 – 875 millions de dollars canadiens rapportés en 16 ans et 4,5 millions de spectateurs ayant assisté aux concerts. Elle est la résidence d'artiste la plus lucrative de l'histoire de la chanson. Pour la dernière, ce 8 juin 2019, l'ambiance générale est empreinte d'émotion. Céline donne tout ce qu'elle a, comme à son habitude. Sur la

1. *ELLE Magazine*, mai 2019.
2. *TVA Nouvelles*, juin 2019.

chanson de clôture, « Over the Rainbow », un film d'images en noir et blanc est diffusé sur l'écran géant qui surplombe la scène. Tour à tour, on la voit ainsi que ses enfants et, bien sûr, René. À la fin de la chanson, ses trois enfants, René-Charles, Eddy et Nelson, l'ont rejointe pour saluer le public devant une image fixe du couple René et Céline.

Voler de ses propres ailes

Au cours du concert, elle dévoile « Fly on My Own », une nouvelle chanson toute significative puisqu'elle veut dire « Voler de mes propres ailes ». C'est tout le mal qu'on lui souhaite et c'est bien dans ses projets. Elle prévoit quelques semaines de congé avant d'entamer ce nouveau chapitre de vie. Céline est devenue, depuis peu, officiellement ambassadrice de la marque de cosmétiques L'Oréal. Elle déclare :

— Je n'aurais jamais imaginé qu'une maison si connue et si ancienne pense à moi, car il faut voir qui sont les femmes à qui ils font appel ! Sublimes... et engagées en plus. Je me suis dit : « Bon, ma vie a redémarré à 50 ans, je me sens forte, je me sens bien, je me sens belle, sans prétention et c'est un tel honneur pour moi, pour mes amis, pour mes enfants, pour mon avenir. » J'ai pensé : « J'ai dû faire quelque chose de bien pour que ça m'arrive... » Une chose pareille ne se refuse pas[1] !

Si un album en anglais se prépare en coulisse depuis 2016, il n'a pas encore vu le jour. Ce sera pour novembre 2019. Enfin ! oserait-on dire. Pour l'heure, un premier concert en guise d'introduction a lieu à Hyde Park, à Londres, le 5 juillet.

1. *ELLE Magazine*, mai 2019.

— On va ensuite commencer à préparer la tournée Courage, annonce-t-elle. Nous rassemblons nos idées depuis quelques mois déjà et nous croyons que nous allons avoir quelque chose de vraiment spécial pour les fans. Nous voulons que ce soit la plus belle expérience que nous ayons jamais créée pour eux[1].

À Hyde Park, elle chante devant 60 000 spectateurs à l'occasion du British Summer Time Festival. Parmi ses fans atypiques, la chanteuse Adele, les princesses Eugénie et Béatrice, devant lesquelles Céline enchaîne ses tubes et dans des tenues de scène éblouissantes. Une renaissance à 51 ans, où Céline ne veut rien se refuser et se sent comme le « boss » de sa vie.

— À 51 ans... c'est comme si je recommençais. Alors, j'ai un an ! Et plein de projets : j'ai trois enfants, dont un ado de 18 ans qui est superbe, des jumeaux de 8 ans et demi, je fais des spectacles, des albums, des *fashion weeks*, je vais à Paris, dans les musées... Je me permets enfin de découvrir la vie. Quand j'étais un peu plus jeune, je ne faisais que m'entraîner, mes cordes vocales menaient ma vie. J'étais juste... chanteuse. Maintenant, je suis une femme qui s'assume, en pleine découverte de ce qu'elle a envie de faire. Il n'est jamais trop tard pour commencer et aujourd'hui, j'ai l'impression d'être au summum de ma vie[2] !

Après le concert, la diva rejoint son hôtel londonien avant d'être réveillée par des fans surexcités de retrouver leur idole. Ces derniers ont fait le pied de grue de longues heures en chantant et en scandant « Céline » assez fort pour que l'artiste décide de venir à leur rencontre.

---

1. *TVA Nouvelles*, juin 2019.
2. *ELLE Magazine*, mai 2019.

Un fan parmi tant d'autres

On l'a vu dans ses interviews, Céline a beaucoup d'affection pour ses fans, beaucoup de plaisir à les retrouver. Elle en compte un nombre incroyable à travers la planète entière. Julien P est l'un d'eux. Intéressons-nous à son parcours, révélateur tout à la fois de la démesure de certains inconditionnels, du merchandising qui entoure les stars et des qualités humaines de Céline.

Julien P n'a que sept ans lorsqu'il découvre Céline Dion, en 1996, lors d'un cours de chant à l'école primaire :

— Je ne connaissais pas cette voix qui sortait du lecteur CD. Les frissons m'ont parcouru.

Il demande au professeur : « Qui chante ? » et entend pour la première fois le nom de Céline Dion.

— À peine rentré à la maison le soir même, j'ai demandé à mes parents d'acheter le CD. Au final, je n'ai eu que la cassette, dont j'ai usé la bande. Je garde cet article précieusement dans ma collection[1].

Il la voit en personne pour la première fois lors du *Hit Machine* de Charly et Lulu pour M6 :

— C'était l'après-midi du 6 octobre 2005. Je me suis demandé si cela était réel de voir et d'écouter Céline en face de moi.

Il assiste à son premier concert à proprement parler le 19 mai 2008 à Paris-Bercy durant son *Taking Chances World Tour* :

— J'avais l'impression d'être seul dans la salle avec elle. Le premier concert d'une longue liste (Arras, Las Vegas, Londres, Paris, Bordeaux).

---

1. Entretien avec l'auteur, août 2019.

Son dernier concert ? Le 5 juillet 2019 au festival BST Hyde Park à Londres :

— C'était mon 32e concert. Je suis arrivé le matin à 4 h 30 pour être sûr d'être le premier et être sûr d'avoir la meilleure place. Après 16 heures d'attente, ce fut le cas.

Sa première rencontre avec Céline remonte au 29 novembre 2013 :

— Après avoir assisté à Bercy à un de ses concerts au premier rang, je décide de rejoindre l'hôtel où elle loge pour obtenir un autographe ou réaliser mon rêve ultime : faire une photo avec elle. Céline est toujours disponible pour une photo, un autographe. Céline arrive vers moi. Elle accepte volontiers de faire un cliché avec moi. Dans l'émotion et n'arrivant pas à prendre la photo avec elle devant l'hôtel Royal Monceau, Céline a pris mon appareil photo pour prendre elle-même le cliché. Peu importe le lieu, l'heure, Céline sait se rendre disponible pour ses fans et arrive à nous faire oublier qu'elle est une des plus grandes stars[1].

Mais la passion ne se limite pas aux CD et aux concerts.

Pendant sa seconde pause, de 2009 à 2011, pour sa deuxième grossesse, et pour combler l'absence, il démarre une collection :

— J'avais déjà pas mal d'articles : CD, DVD, magazine et livres. Rien de bien rare. À travers des sites internet, des échanges, des collaborations... j'ai commencé à acheter, à chiner, à trouver et surtout à collectionner divers objets. Ma collection compte aujourd'hui 1000 articles environ. Je travaille pour obtenir des pièces auprès des gens avec respect et discrétion. J'ai un réseau de connaissances et d'amis à travers le monde qui m'aide à compléter ma collec-

---

1. *Ibid.*

tion. Je ne peux pas estimer sa valeur financière. C'est une valeur sentimentale.

Que trouve-t-on dans une telle collection ?

— Des CD en éditions *collector*, des parfums, un morceau de plancher de la scène de son premier concert à Las Vegas, une bouteille de champagne à son effigie, des jeux de cartes, une assiette remise aux invités présents à la fête de son 30ᵉ anniversaire, des jetons de casino, des livres, des DVD, des magazines, des sacs, des affiches, des PLV, des programmes de concerts, dont des introuvables, des autographes, un DVD avec une chanson inédite… Je dois en oublier.

En particulier deux photos avec Céline :

— Ma préférée a été prise à Las Vegas, le 3 juin 2016. Je me suis approché de la scène, Céline a accepté de faire un selfie avec moi. De retour en France, j'ai envoyé un exemplaire au Colosseum. Trois mois plus tard, j'ai reçu une enveloppe avec ma photo signée *Pour Julien. Love. Céline xoxo*. Une vraie fierté et un objet unique !

Julien P conclut ainsi notre entretien :

— Je souhaite remercier Céline et son équipe pour leur disponibilité et leur gentillesse envers les fans. Ce n'est pas une fausse image. Céline est réellement gentille et géné-reuse. Elle arrive à mettre les personnes à l'aise et à faire oublier son statut d'icône. Elle fait partie intégrante de ma vie. Avec elle, je voyage dans le monde avec ses concerts, elle me permet de rencontrer des personnes et de créer des liens d'amitié au-delà de nos frontières. Peu importe le pays, Céline est connue et Céline est rassembleuse. Je ne sais pas où cette passion va me mener, mais je suis prêt pour de nouvelles aventures[1].

---

1. Entretien avec l'auteur, août 2019.

Courage

— Il y a aussi une chose très importante dans l'histoire de Céline, pour laquelle j'ai énormément d'admiration, c'est sa mentalité québécoise, me déclare Fabienne Thibeault. Elle s'est accrochée avec courage. Il y a une résistance innée et courageuse chez elle. C'est ce qui a dû se passer lorsqu'elle n'avait pas le succès en France ou qu'elle a été critiquée. Elle a su s'accrocher et j'en suis vraiment admirative, car beaucoup auraient abandonné. Elle a continué à croire en son propre destin et garder courage[1].

Fin septembre, sa nouvelle tournée internationale, *Courage*, est lancée. Elle prévoit un passage en France au Paris La Défense Arena de Nanterre le 2 juillet 2020. Un retour dans une salle surdimensionnée de 40 000 places qui devrait ravir le plus grand nombre. Avant cela, son album prévu pour novembre devrait comprendre des créations de Sia et du DJ français David Guetta. Un album français est aussi prévu d'ici 2020.

— Il n'y a pas d'âge pour commencer quelque chose, un projet, un rêve, croit Céline. Tout le monde devrait avoir le courage de dire : « Il n'est jamais trop tard pour commencer quelque chose[2]. »

Un bel enseignement de vie. D'une longue vie déjà légendaire qui a inspiré la réalisatrice et comédienne française Valérie Lemercier.

Celle qui incarnait jadis Béatrice de Montmirail dans *Les visiteurs* en 1993 a vu la vie de Céline comme un film. Début janvier 2019, elle annonce dans tous les médias être en pleine écriture d'un film librement inspiré de la vie de

---

1. Entretien avec l'auteur, août 2019.
2. *Paris Match*, juin 2019.

Céline Dion. Le titre serait *Famous* et, pour le marché américain, *The Power of Love*.

— Je suis fascinée par sa voix, mais aussi par son destin, le fait qu'elle soit la dernière de 14 enfants, son rapport avec sa mère, son histoire d'amour avec René... Ce sera un film drôle. Je demanderai son autorisation à Céline, mais je crois qu'elle a beaucoup d'humour et de dérision. Je jouerai le rôle de Céline Dion de 8 à 50 ans[1].

Depuis quelque temps, les *biopics* (« biographies ciné-matographiques ») font recette. Le succès fulgurant de *Bohemian Rhapsody* retraçant la vie de Freddy Mercury, leader du groupe Queen, en a inspiré plus d'un dans la foulée. Et pour cause, ce film remporte quatre Oscars, dont celui de « meilleur acteur » pour Rami Malek dans le rôle principal. Ici, Valérie Lemercier précise qu'il s'agit plus d'un hommage à la diva, qu'un biopic à proprement parler. La réalisatrice française s'était déjà essayée à ce genre en 2005 avec son film *Palais Royal !*, fortement inspiré de la vie de lady Diana.

L'histoire prévoit que le personnage principal se nomme Adeline Dieu et non Céline Dion. L'animateur de télévi-sion Michel Drucker y participe en tant qu'acteur dans son propre rôle. Quant à René, longtemps imaginé sous les traits de Jérôme Commandeur, ce serait finalement Sylvain Marcel, un acteur québécois, qui serait choisi. Tout cela reste pour l'heure intrigant, et sa sortie en 2020 devrait réunir un grand nombre de fans de la diva.

De l'autre côté de l'Atlantique, un autre projet du même genre est en gestation. Jimmy Dion, neveu de Céline, serait

---

1. *Le Parisien*, 2019.

l'instigateur et scénariste de ce film portant sur l'enfance de la diva.

— Le film, ce sera Céline avant Céline, raconte Adrien Bodson, producteur du film. Les grandes tournées, les casinos et les jets privés, ça nous intéressait moins de raconter cette partie de sa vie. Notre film va raconter son enfance, mais aussi comment sa famille a joué le rôle d'un incubateur pour qu'elle devienne la plus grande chanteuse au monde. Ce sera aussi l'histoire d'une famille québécoise de 14 enfants qui vit en périphérie de Montréal dans les années 1970[1].

Ce n'était qu'un rêve en serait le titre et la réalisation serait confiée à Marc-André Lavoie. Né en 1976 au Québec, ce jeune réalisateur a déjà conquis Céline par ses talents. Lorsqu'elle apprend le projet, elle écrit au réalisateur :

Je voulais vous faire savoir à quel point j'ai été touchée par le film que vous préparez. Avec votre approche unique, vous arrivez à mesurer l'essence d'une période qui me tient beaucoup à cœur[2].

Ainsi, l'aval donné publiquement par la diva facilite grandement les opérations. Le réalisateur en témoigne :

— On travaille main dans la main avec Céline et la famille Dion. On a Jimmy Dion dans l'équipe de scénaristes du film et on est constamment en communication avec Céline. Notre première rencontre avec elle, l'été passé, devait durer 30 minutes, mais on est finalement restés avec elle pendant 6 heures. Elle est extrêmement généreuse. Mais avant tout, elle est tombée en amour avec l'angle du film[3].

---

1. *Le Journal de Montréal*, décembre 2017.
2. *Charts in France*, 2019.
3. *Le Journal de Montréal*, décembre 2017.

Cela a de quoi mettre la pression pour réussir à mettre à l'image cette partie de la vie de la diva. Le producteur Adrien Bodson le sait :

— Il va y avoir un gros travail de casting à faire parce que toute la famille Dion sera reconstituée, indique Lavoie. Ça va nous prendre trois jeunes actrices pour jouer Céline à différents âges. Et il va falloir qu'elles chantent bien[1].

Vers d'autres rendez-vous

Si ses dernières sorties publiques ont alimenté la presse à scandale, tant elle se lâche à sa façon, elle reste tout de même dans les limites du raisonnable sans tomber dans la vulgarité. Bien au contraire, et c'est bien le tort de notre société actuelle :

L'essentiel est sans cesse menacé par l'insignifiant[2].

Et l'essentiel est dans sa voix. D'ailleurs, les 60 000 spectateurs de Hyde Park ont bien assisté, médusés, à la représentation de Céline. La dernière représentation publique qui annonce que « le meilleur est toujours à venir ».

Il ne fait nul doute qu'elle continuera de surprendre, encore, toujours, mais pas par provocation, juste par plaisir et légèreté.

Céline Dion a encore de beaux jours devant elle. De nouvelles œuvres en perspective avec toujours l'amour en thème de prédilection. L'amour qui l'a portée sur les sommets des charts.

Depuis son enfance dans sa petite ville de Charlemagne, puis ses débuts sous l'aile de René Angélil, qui l'a couvée

1. *Ibid.*
2. René Char.

comme une princesse fragile, jusqu'au Caesars Palace, où, devenue la reine de Las Vegas, elle est considérée par beaucoup comme « la meilleure chanteuse de ces 30 dernières années » (Serge Lama), Céline Dion ne s'est jamais reniée. Elle n'a jamais perdu sa nature généreuse, courageuse, spontanée qui fait tant la fierté des Québécois.

Pascal Evans explique :

— Vous autres, les Français, aimez Céline. Nous autres, Québécois, on se reconnaît en elle. Elle est une partie du patrimoine national. Une chose qu'il ne faut pas négliger, c'est que nous avons grandi (comme individus et comme pays) en même temps que Céline. Vous avez une Marianne dans vos hôtels de ville, nous avons Céline. Elle incarne le Québec mieux que quiconque.

Oh mes amis mes frères
Que serions-nous sans nous
Des cœurs en hiver
Si seuls et moins forts
Et le manque de nous

Repères biographiques

30 mars 1968 : naissance à Charlemagne, au Québec. Elle est la 14ᵉ enfant d'Adhémar Dion et Thérèse Tanguay.

1981 : Rencontre avec René Angélil, manager d'artistes québécois.

1982 : Premier single, « Ce n'était qu'un rêve ».

1983 : Premier succès en France avec « D'amour ou d'amitié », écrit par Eddy Marnay.

1984 : Elle chante « Une colombe » pour la venue du pape Jean-Paul II au Stade olympique de Montréal devant 60 000 spectateurs.

1988 : Elle représente la Suisse et remporte l'Eurovision de la chanson avec le titre « Ne partez pas sans moi ».

1990 : Son premier album en anglais « Unison » fait un succès aux États-Unis.

1992 : Sortie de l'album « Dion chante Plamondon », en collaboration avec Michel Berger et Luc Plamondon.

1993 : Succès populaire en France du single « Un garçon pas comme les autres (Ziggy) ».

1994 : Concert et disque « À l'Olympia ».

1994 : 17 décembre, mariage avec René Angélil à la basilique Notre-Dame de Montréal.

1995 : Sortie de l'album « D'eux », écrit et composé par Jean-Jacques Goldman. Vendu à plus de 10 millions d'exemplaires dans le monde, c'est l'album le plus vendu de l'histoire de la musique en France.

1998 : Succès mondial avec la chanson « My Heart Will Go On », chanson-bande originale du film *Titanic*, réalisé par James Cameron. La chanson reçoit plusieurs récompenses, dont l'Oscar de la « meilleure chanson de film ».

Deuxième collaboration avec Jean-Jacques Goldman sur l'album « S'il suffisait d'aimer ».

1999 : Tournée mondiale et deux concerts au Stade de France réunissant 90 000 spectateurs chaque soir.

2001 : 25 janvier, naissance de René-Charles, son fils aîné.

2003 : *A New Day,* spectacle de résidence d'artiste au Colosseum du Caesars Palace de Las Vegas jusqu'en 2007.

2007 : Fin de résidence au Colosseum du Caesars Palace.

2010 : 23 octobre, naissance des jumeaux Eddy et Nelson.

2011 : Nouveau spectacle : *Céline ;* seconde résidence au Colosseum du Caesars Palace, à Las Vegas.

2016 : 14 janvier, décès de René Angélil. Funérailles nationales au Canada.

2019 : Fin de résidence à Las Vegas.

Retour mondial en septembre avec la tournée internationale *Courage* et nouvel album.

Discographie

Albums studio en français

LA VOIX DU BON DIEU, LES DISQUES SUPER ÉTOILES, 9 NOVEMBRE 1981

1 – La voix du Bon Dieu (Eddy Marnay) 2 – Au secours (Robert Leroux, Pierre Létourneau) 3 – L'amour viendra (Marnay, Amerigo, Cassella, Bembo) 4 – Autour de moi (Thérèse Dion, Pierre Tremblay) 5 – Grand-maman (Thérèse Dion, Céline Dion, Jacques Dion) 6 – Ce n'était qu'un rêve (Thérèse Dion, Céline Dion, Jacques Dion) 7 – Seul un oiseau blanc (Eddy Marnay, Daniel Hétu) 8 – Tire l'aiguille (Marnay, Stern, Barclay) 9 – Les roses blanches (Pothier, Raiter)

CÉLINE DION CHANTE NOËL, LES DISQUES SUPER ÉTOILES, 9 DÉCEMBRE 1981

1 – Glory alléluia (André Pascal) 2 – Le p'tit renne au nez rouge (Johnny Marks) 3 – Petit papa Noël (Martinet, Vincy) 4 – Douce nuit, sainte nuit (Adam, Dwight, Mohr) 5 – Les enfants

253

oubliés (Gilbert Bécaud) 6 – Noël blanc (Berlin) 7 – Père Noël arrive ce soir (Coates, Gillespie) 8 – J'ai vu maman embrasser le père Noël (Conner) 9 – Promenade en traîneau (Anderson, Parish, Plante) 10 – Joyeux Noël (Torme, Wells)

TELLEMENT J'AI D'AMOUR..., LABEL SAISONS, 7 SEPTEMBRE 1982

1 – D'amour ou d'amitié (Lang, Marnay, Vincent) 2 – Le piano fantôme (Cousineau, Plamondon) 3 – Tu restes avec moi (Cousineau, Marnay) 4 – Tellement j'ai d'amour pour toi (Giraud, Marnay) 5 – Écoutez-moi (Marnay, Popp) 6 – Le tour du monde (Calvet, Marnay) 7 – Visa pour les beaux jours (Geoffroy, Loigerot, Marnay) 8 – La voix du Bon Dieu (Marnay) 9 – Le vieux monsieur de la rue Royale (Marnay, Noreau)

LES CHEMINS DE MA MAISON, LABEL SAISONS, 7 SEPTEMBRE 1983

1 – Mon ami m'a quittée (Marnay, Loigerot, Geoffroy) 2 – Toi sur ta montagne (Marnay, Noreau) 3 – Ne me plaignez pas (Marnay, Thompson) 4 – Vivre et donner (Marnay, Kaye) 5 – Mamy Blue (Giraud) 6 – Du soleil au cœur (Marnay, Popp, Massoulier) 7 – Et puis un jour (Marnay, Noreau) 8 – Hello Mister Sam (Marnay, Loigerot, Geoffroy) 9 – La dodo la do (Marnay, Gaubert) 10 – Les chemins de ma maison (Marnay, Lemaître, Bernard)

CHANTS ET CONTES DE NOËL, LABEL SAISONS, 5 DÉCEMBRE 1983

1 – Un enfant (Brel, Jouannest) 2 – Promenade en traîneau (Anderson, Parish, Plante) 3 – Pourquoi je crois

encore au père Noël (Ducharme, Noreau) 4 – Joyeux Noël (Torme, Wells) 5 – Céline et Pinotte (Ducharme, Noreau) 6 – À quatre pas d'ici (Marnay, Hill, Sinfield) 7 – Le conte de Karine (Ducharme, Noreau) 8 – Glory alléluia (Pascal)

MÉLANIE, PRODUCTIONS TBS, 22 AOÛT 1984

1 – Mélanie (Marnay, Juster) 2 – Chante-moi (Marnay, Noreau) 3 – Un amour pour moi (Marnay, Geoffroy, Loigerot) 4 – Trop jeune à 17 ans (Marnay, Greedus, Blue) 5 – Mon rêve de toujours (Marnay, Goussaud) 6 – Va où s'en va l'amour (Marnay, Noreau) 7 – Comme on disait avant (Marnay, Noreau) 8 – Benjamin (Marnay, Papadiamandis) 9 – Trois heures vingt (Marnay, Lemaître) 10 – Une colombe (Lefebvre, Baillargeon)

C'EST POUR TOI, PRODUCTIONS TBS, 27 AOÛT 1985

1 – C'est pour toi (Marnay, Orenn) 2 – Tu es là (Baillargeon) 3 – Dis-moi si je t'aime (Marnay, Baillargeon) 4 – Elle (Marnay, Baillargeon) 5 – Pour vous (Marnay, Sipos) 6 – Les oiseaux du bonheur (Marnay, Popp) 7 – Avec toi (Marnay, Loigerot, Geoffroy) 8 – Amoureuse (Marnay, Baillargeon) 9 – Virginie... roman d'amour (Marnay, Loigerot, Geoffroy) 10 – C'est pour vivre (Marnay, Popp)

INCOGNITO, CBS, COLUMBIA, 2 AVRIL 1987

1 – Incognito (Plamondon, Roussel) 2 – Lolita (trop jeune pour aimer) (Plamondon, Lavoie) 3 – On traverse un miroir (Minoke, Lafond) 4 – Partout je te vois (Marnay, Nova) 5 – Jours de fièvre (Marnay, Roussel) 6 – D'abord, c'est quoi l'amour ? (Marnay, Tracey) 7 – Délivre-moi

(Marnay, Daily, Faltermeyer) 8 – Comme un cœur froid (Marnay, Roussel)

VERSION FRANÇAISE

1 – Incognito (Plamondon, Roussel) 2 – Lolita (trop jeune pour aimer) (Plamondon, Lavoie) 3 – On traverse un miroir (Minoke, Lafond) 4 – Ma chambre (Ferland, Mercure) 5 – Jours de fièvre (Marnay, Roussel) 6 – D'abord, c'est quoi l'amour ? (Marnay, Tracey) 7 – Ne partez pas sans moi (Martinetti, Sereftug) 8 – Comme un cœur froid (Marnay, Roussel)

DION CHANTE PLAMONDON, COLUMBIA, SONY MUSIC, 29 AVRIL 1992

1 – Des mots qui sonnent (Plamondon, Nova, Simon) 2 – Le monde est stone (Plamondon, Berger) 3 – J'ai besoin d'un chum (Plamondon, Cousineau) 4 – Le fils de Superman (Plamondon, Gauthier) 5 – Je danse dans ma tête (Plamondon, Musumarra) 6 – Le blues du business-man (Plamondon, Berger) 7 – Piaf chanterait du rock (Plamondon, Gauthier) 8 – Un garçon pas comme les autres (Ziggy) (Plamondon, Berger) 9 – Quelqu'un que j'aime, quelqu'un qui m'aime (Plamondon, Erown) 10 – Les uns contre les autres (Plamondon, Berger) 11 – Oxygène (Plamondon, Gauthier) 12 – L'amour existe encore (Plamondon, Cocciante)

D'EUX, COLUMBIA, SONY MUSIC, 27 MARS 1995

1 – Pour que tu m'aimes encore (Jean-Jacques Goldman) 2 – Le ballet (Goldman) 3 – Regarde-moi (Goldman) 4 – Je sais pas (Goldman, Kapler) 5 – La mémoire d'Abraham

(Goldman) 6 – Cherche encore (Erick Benzi) 7 – Destin (Goldman) 8 – Les derniers seront les premiers (Goldman) 9 – J'irai où tu iras (duo avec Jean-Jacques Goldman) (Goldman) 10 – J'attendais (Goldman) 11 – Prière païenne (Goldman) 12 – Vole (Goldman)

S'IL SUFFISAIT D'AIMER, COLUMBIA, SONY MUSIC, 7 SEPTEMBRE 1998

1 – Je crois toi (Goldman) 2 – Zora sourit (Goldman, Kapler) 3 – On ne change pas (Goldman) 4 – Je chanterai (Goldman) 5 – Terre (Benzi) 6 – En attendant ses pas (Goldman) 7 – Papillon (Benzi) 8 – L'abandon (Goldman) 9 – Dans un autre monde (Goldman) 10 – Sur le même bateau (Goldman) 11 – Tous les blues sont écrits pour toi (Goldman) 12 – S'il suffisait d'aimer (Goldman)

UNE FILLE ET QUATRE TYPES, COLUMBIA, SONY MUSIC, 30 OCTOBRE 2003

1 – Tout l'or des hommes (Jacques Veneruso) 2 – Apprends-moi (Benzi) 3 – Le vol d'un ange (Veneruso) 4 – Ne bouge pas (Gildas Arzel) 5 – Tu nages (Benzi) 6 – Et je t'aime encore (Goldman, Kapler) 7 – Retiens-moi (Benzi) 8 – Je lui dirai (Goldman) 9 – Mon homme (Benzi) 10 – Rien n'est vraiment fini (Veneruso) 11 – Contre nature (Veneruso) 12 – Des milliers de baisers (Goldman) 13 – Valse adieu (Kapler)

D'ELLES, COLUMBIA, SONY MUSIC, 18 MAI 2007

1 – Et s'il n'en restait qu'une (je serais celle-là) (Dorin, Gategno) 2 – Immensité (Bouraoui, Veneruso) 3 – À cause (Dorin, Veneruso) 4 – Je cherche l'ombre (Payette,

Veneruso) 5 – Les paradis (Bouraoui, Arzel) 6 – La diva (Bombardier, Benzi) 8 – Si j'étais quelqu'un (Nechtschein, Benzi) 9 – Je ne suis pas celle (Orban, Gategno) 10 – Le temps qui compte (Laberge, Veneruso) 11 – Lettre de George Sand à Alfred de Musset (Sand, Benzi) 12 – On s'est aimé à cause (Dorin, Dupré, Breau) 13 – Berceuse (Bertrand, Gategno)

SANS ATTENDRE, COLUMBIA, EPIC, 3 NOVEMBRE 2012

1 – Parler à mon père (Veneruso) 2 – Le miracle (Bastide, Maurici) 3 – Qui peut vivre sans amour ? (Hesme, Gategno) 4 – L'amour peut prendre froid (duo avec Johnny Hallyday) (Miossec, Redmond, Wright) 5 – Attendre (Hesme, Gategno) 6 – Une chance qu'on s'aime (duo avec Jean-Pierre Ferland) (Ferland, Leblanc) 7 – La mer et l'enfant (Marsaud, Gategno) 8 – Moi quand je pleure (Le Forestier, Stanislas) 9 – Celle qui m'a tout appris (Nina Bouraoui, Veneruso) 10 – Je n'ai pas besoin d'amour (Ferland, Mercure) 11 – Si je n'ai rien de toi (Hesme, Gategno) 12 – Que toi au monde (Plamondon, Esposito) 13 – Tant de temps (duo avec Henri Salvador) (Lebel, Loigerot) 14 – Les petits pieds de Léa (L'Heureux, Vaillancourt)

ENCORE UN SOIR, COLUMBIA, 26 AOÛT 2016

1 – Plus qu'ailleurs (Serge Lama, Francis Cabrel) 2 – L'étoile (Grand Corps Malade, Manon Romiti, Silvio Libonne, Florent Mothe) 3 – Ma faille (Zaho, Carquet, Marie-Louise, Compagnon, Tuinfort) 4 – Encore un soir (Goldman) 5 – Je nous veux (Minville, Dupré) 6 – Les yeux au ciel (Grand Corps Malade, Romiti, Lisbonne, Mothe) 7 – Si c'était à refaire (Guiol, Veneruso) 8 – Ordinaire

(Claudine Monfette, Charlebois, Pierre Nadeau) 9 – Tu sauras (Zahon Carquet, Marie-Louise, Tuinfort) 10 – Toutes ces choses (Minville, Dupré) 11 – Le bonheur en face (Romiti, Lisbonne, Mothe) 12 – À la plus haute branche (Picard) 13 – À vous (Zaho, Carquet, Marie-Louise) 14 – Ma force (Vianney) 15 – Trois heures vingt (Marnay, Lemaître)

Albums studio en anglais

UNISON, COLUMBIA, EPIC, 2 AVRIL 1990

1 – (If there was) Any other way (Paul Bliss) 2 – If love is out the question (Paul Bliss, Phil Palmer) 3 – Where does my heart beat now (Robert White Johnson, Taylor Rhodes) 4 – The last to know (Brock Walsh, Phil Galdston) 5 – I'm loving every moment with you (Tom Keane, Eric Pressly, Tyler Collins) 6 – Love by another name (David Foster, Cliff Magnes, Glen Ballard) 7 – Unison (Andy Goldmark, Bruce Roberts) 8 – I feel too much (Keane Pressly) 9 – If we could start over (Stan Meissner) 10 – Have a heart (Aldo Nova, Billey Steinberg, Ralph McCarthy)

CÉLINE DION, COLUMBIA, EPIC, 31 MARS 1992

1 – Introduction (Walter Afanasieff) 2 – Love can move mountains (Diane Warren, Ric Wake) 3 – Show some emotion (Gregory Prestopino, Andrew Gold, Brock Walsh) 4 – If you asked me to (Diane Warren, Guy Roche) 5 – If you could see me now (John Bettis, Walter Afanasieff) 6 – Halfway to heaven (Golde, David, Holland, Afanasieff) 7 – Did you give enough love (Swirsky, Roman, Wake) 8 – If I were you (Roman, Peiken, Wake) 9 – Beauty and

the beast (Menken, Ashman) 10 – I love you, Goodbye (Warren, Roche) 11 – Little bit of love (Scott, Gaudette) 12 – Water from the moon (Warren, Afanasieff) 13 – With this tear (Prince, Afanasieff) 14 – Nothing broken but my heart (Warren, Afanasieff)

THE COLOUR OF MY LOVE, COLUMBIA, EPIC, 9 NOVEMBRE 1993

1 – The power of love (DeRouge, Mende, Mary, Applegate, Rush, Foster) 2 – Misled (Bralower, Zizzo, Wake) 3 – Think twice (Hill, Sinfield, Neil, Nova) 4 – Only one road (Zizzo, Wake) 5 – Everybody's talkin my baby down (Roman, DeSalvo, Wake) 6 – Next plane out (Warren, Wake) 7 – Real emotion (Warren, Wake) 8 – When I fall in love (Heyman, Young, Foster) 9 – Love doesn't ask why (Galdston, Mann, Weil, Afanasieff) 10 – Refuse to dance (Dore, Schogger, Neil) 11 – I remember L. A. (Colton, Wold, Neil) 12 – No living without loving you (Warren, Roche) 13 – Lovin' proof (Warren, Wake) 14 – Just walk away (Hammond, Sharron, Lindsay, Gatica) 15 – The colour of my love (Foster, Ganov) 16 – To love you more (Foster, Miles)

FALLING INTO YOU, COLUMBIA, EPIC, 12 MARS 1996

1 – It's all coming back to be me now (Steinman, Steven) 2 – Because you loved me (Warren, Foster) 3 – Falling into you (Steinberg, Nowels, D'Ubaldo) 4 – Make you happy (Marvel, Wake) 5 – Seduces me (Hill, Sheard) 6 – All by myself (Carmen, Rachmaninov, Foster, Fields) 7 – Declaration of love (Jay, Gaudette, Wake) 8 – Dreamin' of you (Nova, Barbeau) 9 – I love you (Nova,

Gatica, Goldman) 10 – If that's what it takes (Galdston,
Goldman, Gatica) 11 – I don't know (Galdston, Goldman
Kapler) 12 – River deep, mountain high (Spector, Barry,
Greenwich, Steinman) 13 – Call the man (Hill, Sinfield)
14 – Fly (Galdston, Goldman)

LET'S TALK ABOUT LOVE, COLUMBIA, 14 NOVEMBRE 1997

1 – The reason (King, Hudson, Wells, Martin)
2 – Immortality (Gibb, Gibb, Gibb, Afanasieff) 3 – Treat
her like a lady (King, Marvel, Mann, Dion, Wake) 4 – Why
oh why (Sharron, Sembello, Foster) 5 – Love is on the
way (Zizzo, Rich, Shafer, Wake) 6 – Tell him (Thompson,
Afanasieff, Foster) 7 – Amar haciendo el amor (Rich,
Mann, Benito, Wake) 8 – When I need you (Hammond,
Bayer Sager, Foster) 9 – Miles to go (before I sleep) (Hart,
Gatica) 10 – Us (Pace, Gatica) 11 – Just a little bit of love
(Christensen, Roman, Jacobson, Wake) 12 – My heart will
go on (Horner, Jennings, Afanasieff) 13 – Where is the love
(Hart) 14 – Be the man (Foster, Miles) 15 – I hate you then
I love you (Renis, de Falla, Testa, Newell, Foster, Gatica)
16 – Let's talk about love (Adams, Goldman, Kennedy,
Foster)

THESE ARE SPECIAL TIMES,COLUMBIA, EPIC, 30 OCTOBRE 1998

1 – O holy night (traditionnel) 2 – Don't save it all
for Christmas day (Zizzo, Wake, Céline Dion) 3 – Blue
Christmas (Johnson, Hayes) 4 – Another year has gone by
(Adams, Kennedy) 5 – The magic of Christmas day (Dee
Snider) 6 – Ave Maria (Schubert) 7 – Adeste fideles (O come
all ye faithful) (traditionnel) 8 – The Christmas song

(Chestnuts roasting on an open fire) (Tormé, Wells) 9 – The prayer (duo avec Andrea Bocelli) (Sager, Foster, Testa, Renis, Brahms) 10 – Brahms' Lullaby (Johannes Brahms) 11 – Christmas eve (Christensen, Frasca) 12 – These are the special times (Diane Warren) 13 – Happy Xmas (War is over) (Lennon, Ono) 14 – I'm your angel (duo avec R Kelly) (R Kelly) 15 – Feliz Navidad (José Feliciano) 16 – Les cloches du hameau (Johannes Brahms)

A NEW DAY HAS COME, COLUMBIA, SONY MUSIC, 22 MARS 2002

1 – I'm alive (Lundin, Carlsson) 2 – Right in front of you (Morales, Solomon, DioGuardi, Siegel) 3 – Have you ever been in love (Bagge, Aström, Nichols, Hall) 4 – Rain, tax (it's inevitable) (Britten, Dore) 5 – A new day has come (Nova, Moccio) 6 – Ten days (Nova, Le Forestier, De Palmas) 7 – Goodbye's (the saddest word) (Lange) 8 – Prayer (Hart) 9 – I surrender (Biancaniello, Watters) 10 – At last (Gordon, Warren) 11 – Super love (Roche, Peiken) 12 – Sorry for love (DioGuardi, Bagge, Aström, Birgisson) 13 – Aùn existe amor (Cocciante, Ballesteros-Diaz) 14 – The greatest reward (Obispo, Carlsson, Elofsson, Florence, Guirao) 15 – When the wrong one loves you right (Briley, Galluccio, Maye) 16 – Nature boy (Ahbez)

ONE HEART, COLUMBIA, SONY MUSIC, 24 MARS 2003

1 – I drove all night (Kelly, Steinberg) 2 – Love is all we need (Martin, Yacoub) 3 – Faith (Martin, Yacoub) 4 – In his touch (Martin, Yacoub) 5 – One heart (DioGuardi, Shanks) 6 – Stand by your side (Barry, Taylor) 7 – Naked (Aström, Bagge, Verges) 8 – Sorry for love (Aström, Bagge,

Birgisson, DioGuardi) 9 – Have you ever been in love (Aström, Bagge, Hall, Nichols) 10 – Reveal (Dennis, Wells) 11 – Coulda woulda shoulda (Carlsson, Lundin) 12 – Forget me not (Peiken, Roche) 13 – I know what is love (Roman, Wake) 14 – Et je t'aime encore (Goldman)

MIRACLE, COLUMBIA, SONY MUSIC, 13 OCTOBRE 2004

1 – Miracle (Dorff, Thompson) 2 – Brahms' Lullaby (Brahms) 3 – If I could (Hirsch, Sharron, Miller) 4 – Sleep tight (Page, Lind, Lahng) 5 – What a wonderful world (Weiss, Thiele) 6 – My precious one (Aström, Bentley) 7 – A mother's prayer (Foster, Bayer Sager) 8 – The first time ever I saw your face (McColl) 9 – Baby close your eyes (Welsman, Musumarra) 10 – Come to me (Mahood, Wade) 11 – Le loup, la biche et le chevalier (Pon, Salvador) 12 – Je lui dirai (Goldman) 13 – Beautiful boy (Lennon) 14 – In some small way (Page, Tyson)

TAKING CHANCES, COLUMBIA, SONY MUSIC, 13 NOVEMBRE 2007

1 – Taking chances (DioGuardi, Stewart) 2 – Alone (Steinberg, Campbell, Kelly) 3 – Eyes on me (Goodrem, Lundin, Kotecha) 4 – My love (Perry) 5 – Shadow of love (Nova, Bagge, Sjöström) 6 – Surprise surprise (Howes, DioGuardi, Harrington) 7 – This time (Moody, Campbell, Hodges, McMorran) 8 – New Dawn (Perry) 9 – A song for you (Nova, Bagge, Wells) 10 – A world to believe in (Ciciola, Izzo) 11 – Can't fight the feeling (Nova) 12 – I got nothin' left (Harmon, Smith) 13 – Right next to the right one (Christensen) 14 – Fade away (Nova, Stenmarck, Astrom)

15 – That's just the woman in me (Rew, Gold) 16 – Skies of L. A. (Stewart, Nash, Harrel)

LOVED ME BACK TO LIFE, COLUMBIA, SONY MUSIC, 1ᴱᴿ NOVEMBRE 2013

1 – Loved me back to life (Hussain, Motes, Furler) 2 – Somebody loves somebody (Fransson, Larsson, Lundgren, Mae) 3 – Incredible (Goldstein, Kiriakou, Smith) 4 – Water and a flame (White, Merriweather) 5 – Breakaway (Fransson, Larsson, Lundgren, Mercer) 6 – Save your soul (Mercer) 7 – Didn't know love (White, Alexander, James) 8 – Thank You (Smith) 9 – Overjoyed (Wonder) 10 – Thankful (Parish, Hollander) 11 – At seventeen (Ian) 12 – Always be your girl (Paris, Hollander) 13 – Unfinish songs (Warren)

Albums live

CÉLINE DION EN CONCERT, 29 DÉCEMBRE 1985

1 – Ouverture (La première fois) (Marnay, Baillargeon) 2 – Mon ami m'a quittée (Marnay, Loigerot, Geoffroy) 3 – Hommage à Félix Leclerc (Félix Leclerc) 4 – Up where we belong (Jennings, Nitzsche, Sainte-Marie) 5 – Tellement j'ai d'amour pour toi (Marnay, Giraud) 6 – D'amour ou d'amitié (Marnay, Lang, Vincent) 7 – Over the rainbow (Harburg) 8 – Hommage à Michel Legrand (Marnay, Legrand) 9 – L'amour est enfant de bohème (Bizet) 10 – What a feeling (Forsey, Cara) 11 – Une colombe (Lefebvre, Baillargeon) 12 – Les chemins de ma maison (Marnay, Lemaître, Bernard) 13 – Finale (La première fois) (Marnay, Baillargeon)

À L'OLYMPIA, 14 NOVEMBRE 1994

1 – Des mots qui sonnent (Plamondon, Nova, Simon)
2 – Where does my heart beat now (Johnson, Rhodes)
3 – L'amour existe encore (Plamondon, Cocciante) 4 – Je danse dans ma tête (Plamondon, Musumarra) 5 – Calling you (Bob Telson) 6 – Elle (Marnay, Baillargeon) 7 – Medley Starmania (Plamondon, Berger) 8 – Le blues du businessman (Plamondon, Berger) 9 – Le fils de Superman (Plamondon, Gauthier) 10 – Love can move mountains (Warren) 11 – Un garçon pas comme les autres (Ziggy) (Plamondon, Berger) 12 – The power of love (DeRouge, Mende, Applegate, Rush) 13 – Quand on n'a que l'amour (Brel)

LIVE À PARIS, 22 OCTOBRE 1996

1 – J'attendais (Goldman) 2 – Destin (Goldman) 3 – The power of love (DeRouge, Mende, Applegate, Rush) 4 – Regarde-moi (Goldman) 5 – River deep, mountain high (Spector, Barry, Greenwich) 6 – Un garçon pas comme les autres (Ziggy) (Plamondon, Berger) 7 – Les derniers seront les premiers (duo avec Jean-Jacques Goldman) (Goldman) 8 – J'irai où tu iras (duo avec Jean-Jacques Goldman) (Goldman) 9 – Je sais pas (Goldman, Kapler) 10 – Le ballet (Goldman) 11 – Prière païenne (Goldman) 12 – Pour que tu m'aimes encore (Goldman) 13 – Quand on n'a que l'amour (Brel) 14 – Vole (Goldman) 15 – To love you more (Foster, Miles)

AU CŒUR DU STADE, 27 AOÛT 1999

1 – Let's talk about love (Bryan Adams, Jean-Jacques Goldman, Eliot Kennedy) 2 – Dans un autre monde (Goldman) 3 – Je sais pas (Goldman, J Kapler) 4 – Je crois

toi (Goldman) 5 – Terre (Erick Benzi) 6 – J'irai où tu iras (duo avec Jean-Jacques Goldman) (Goldman) 7 – S'il suffisait d'aimer (Goldman) 8 – On ne change pas (Goldman) 9 – Medley acoustique : Ce n'était qu'un rêve (Thérèse Dion, Céline Dion, Jacques Dion), D'amour ou d'amitié (Jean-Pierre Lang, Eddy Marnay, Roland Vincent), Mon ami m'a quittée (Marnay, Christian Loigerot, Thierry Geoffroy), L'amour existe encore (Luc Plamondon, Richard Cocciante), Un garçon pas comme les autres (Ziggy) (Plamondon, Michel Berger) 10 – Pour que tu m'aimes encore (Goldman) 11 – My heart will go on (James Horner, Will Jennings)

A NEW DAY, LIVE IN LAS VEGAS, 2004

1 – Nature boy 2 – It's all coming back to me now 3 – Because you loved me 4 – I'm alive 5 – If I could 6 – At last 7 – Fever 8 – I've got the world on a string 9 – Et je t'aime encore 10 – I wish 11 – I drove all night 12 – My heart will go on 13 – What a wonderful world 14 – You and I 15 – Ain't gonna look the other way

TAKING CHANCES WORLD TOUR : THE CONCERT, 29 AVRIL 2010

1 – Ouverture 2 – I drove all night 3 – J'irai où tu iras 4 – Destin 5 – Taking chances 6 – Et s'il n'en restait qu'une (je serais celle-là) 7 – L'amour existe encore 8 – Dans un autre monde 9 – All by myself 10 – Je sais pas 11 – S'il suffisait d'aimer 12 – Alone 13 – Medley soul : Sex machine, Soul man, Lady Marmalade, Sir Duke, Respect, I got the feelin', I got you (I feel good) 14 – It's a man's man's man's

world 15 – River deep, mountain high 16 – My heart will go on 17 – Pour que tu m'aimes encore

CÉLINE... UNE SEULE FOIS : LIVE 2013, 16 MAI 2014

CD 1 :1 – Ce n'était qu'un rêve 2 – Dans un autre monde 3 – Parler à mon père 4 – It's coming back to me now/The power of love 5 – On ne change pas 6 – Destin 7 – Qui peut vivre sans amour ? 8 – Je crois toi 9 – La mer et l'enfant 10 – Celle qui m'a tout appris 11 – Terre 12 – J'irai où tu iras 13 – Bozo 14 – Je n'ai pas besoin d'amour 15 – S'il suffisait d'aimer 16 – L'amour existe encore

CD 2 :1 – All by myself 2 – Je sais pas 3 – Je danse dans ma tête/Des mots qui sonnent/Incognito 4 – Love can move mountains/River deep, mountain high 5 – My heart will go on 6 – Pour que tu m'aimes encore 7 – Loved me back to life 8 – Le miracle 9 – Tout l'or des hommes 10 – Un garçon pas comme les autres (Ziggy) 11 – Water and a flame 12 – Regarde-moi

Remerciements

Je remercie toutes les personnes qui, de près ou de loin, ont participé à ce livre, dont en particulier :
Mark Bego, Pascal Evans, Lena Ka, Christophe Nègre, Julien P., Serge Perathoner et Fabienne Thibeault pour s'être gentiment confiés à moi.
Un grand merci à Jacques Chaline, pour sa relecture bienveillante.
François Alquier, Albert Assayag, Emilie Augugliaro et Daniel Ichbiah.
Enfin, Frédéric Thibaud et les éditions City pour leur confiance renouvelée.

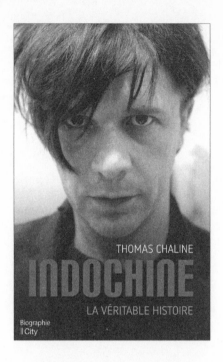

INDOCHINE
La véritable histoire

THOMAS CHALINE

Bientôt quarante ans... Indochine est le seul groupe de rock français à avoir su traverser les époques et les modes en touchant de nouvelles générations de fans. Des débuts confidentiels au Rose Bonbon jusqu'aux gigantesques concerts du Stade de France, Indochine a tout vécu. Adulé dans les années 80, détesté dans les années 90, avant de renaître triomphalement dans les années 2000, Indochine a un parcours incroyable, unique. Grâce à un homme : Nicola Sirkis, dont l'envie et l'énergie n'ont jamais faibli, malgré les difficultés, les doutes, les trahisons et les tragédies. C'est cette exceptionnelle saga musicale que l'auteur nous fait vivre, notamment à travers des entretiens inédits. L'histoire d'un groupe entré dans la légende et qui n'a pas fini de faire parler de lui...

De *L'Aventurier* à *13* :
dans l'intimité du groupe culte.

city-editions.com

MARQUIS

Québec, Canada

Achevé d'imprimer en octobre 2019
sur les presses de Marquis imprimeur

Imprimé au Canada